Roselyne Rœsch et Rosalba Rolle-Harold

La France au quotidien

3ᴱ ÉDITION

Presses universitaires de Grenoble

Conception graphique : studio Bizart - bizart.design@wanadoo.fr
Mise en pages : studio Bizart

Achevé d'imprimer sur les presses de l'Imprimerie BARNÉOUD
53960 BONCHAMP-LÈS-LAVAL
Dépôt légal : juillet 2009 - N° d'imprimeur : 906082
Imprimé en France

© Presses universitaires de Grenoble, février 2008
BP 47 — 38040 Grenoble cedex 9
Tél. : 04 76 82 56 52 — Fax : 04 76 82 78 35
pug@pug.fr / www.pug.fr

ISBN 978-2-7061-1428-1

Avant-propos

Tout savoir sur le cadre de vie des Français...
Tel est l'objectif de ce manuel qui s'adresse à des apprenants adultes ou grands adolescents de niveau B1 ou B2 du CECR et à tout public intéressé par le mode de vie des Français.

En mettant en évidence des comportements typiquement français, *La France au quotidien* a pour but d'étendre une compétence culturelle, de faire acquérir un lexique propre aux thèmes abordés et de développer ainsi une nouvelle perspective sur la langue et la culture.
Les enseignants trouveront dans les dossiers proposés un support pédagogique complémentaire à l'utilisation d'une méthode ou d'un livre de grammaire.

Les différents thèmes s'articulent autour de treize chapitres (présentation de la France, le calendrier, les loisirs, les médias...) qui donnent, à travers des données chiffrées et actualisées, des informations sur les habitudes et les comportements des Français et sur le rôle de l'État dans des domaines comme l'éducation, la santé, le travail ou la famille. Au fil de ces chapitres une rubrique Pour en savoir plus permet d'approfondir un aspect du thème traité et une rubrique Le saviez-vous ? propose un contenu plus anecdotique. Un questionnaire d'auto-évaluation conclut chaque dossier.

Des pistes d'utilisation pédagogique sont disponibles sur www.pug.fr, et deux CD audio sont proposés en complément de l'ouvrage.

Dans le catalogue FLE des PUG

MÉTHODES

Je lis, j'écris le français
Méthode d'alphabétisation pour adultes
M. Barthe, B. Chovelon, 2004
Livre de l'élève — Cahier d'autonomie

Je parle, je pratique le français
Post-alphabétisation pour adultes
M. Barthe, B. Chovelon, 2005
Livre de l'élève — Cahier d'autonomie

À propos A1
C. Andant, C. Metton, A. Nachon, F. Nugue, 2009
Livre de l'élève (CD inclus) — Guide pédagogique —
Cahier d'exercices (CD inclus)

À propos B1-B2
C. Andant, M.-L. Chalaron, 2005
Livre de l'élève — Livre du professeur —
Cahier d'exercices — Coffret 2 CD audio

GRAMMAIRE ET STYLE

Présent, passé, futur
D. Abry, M.-L. Chalaron, J. Van Eibergen
Manuel avec corrigés des exercices, 1987

La grammaire autrement
M.-L. Chalaron, R. Rœsch
Manuel avec corrigés des exercices, 1984

La grammaire des premiers temps
Volume 1 : niveaux A1-A2, 2000
Volume 2 : niveaux A2-B1, 2003
D. Abry, M.-L. Chalaron
Manuel — Corrigés des exercices avec la transcription
des enregistrements du CD — CD

L'Exercisier (2de éd.). Manuel d'expression française
C. Descotes-Genon, M.-H. Morsel, C. Richou, 2006
Manuel — Corrigés des exercices

L'expression française écrite et orale
Ch. Abbadie, B. Chovelon, M.-H. Morsel, 2003
Manuel — Corrigés des exercices

Expression et style
M. Barthe, B. Chovelon, 2002
Manuel — Corrigés des exercices

VOCABULAIRE ET EXPRESSION

Livres ouverts
M.-H. Estéoule-Exel, S. Regnat Ravier, 2008
Livre de l'élève — Guide pédagogique

Dites-moi un peu. Méthode pratique de français oral
K. Ulm, A.-M. Hingue, 2005
Manuel — Guide pédagogique

Émotions-Sentiments
C. Cavalla, E. Crozier, 2005
Livre de l'élève (CD inclus) — Corrigés des exercices

Le français par les textes
I : niveaux A2-B1, 2003
II : niveaux B1-B2, 2003
Corrigés des exercices I, 2006
Corrigés des exercices II, 2006
M. Barthe, B. Chovelon, A.-M. Philogone

Lectures d'auteurs
M. Barthe, B. Chovelon, 2005
Manuel — Corrigés des exercices

Le chemin des mots
D. Dumarest, M.-H. Morsel, 2004
Manuel — Corrigés des exercices

CIVILISATION

La France au quotidien (3e éd.)
R. Rœsch, R. Rolle-Harold, 2008
Manuel — Coffret 2 CD audio

Écouter et comprendre la France au quotidien
(CD inclus)
R. Rœsch, R. Rolle-Harold, 2009

La France des régions
R. Bourgeois, S. Eurin, 2001

La France des institutions
R. Bourgeois, P. Terrone, 2004

FRANÇAIS SUR OBJECTIF SPÉCIFIQUE

**Le français des médecins. 40 vidéos
pour communiquer à l'hôpital** (DVD-ROM inclus)
T. Fassier, S. Talavera-Goy, 2008

Le français du monde du travail (nouvelle édition)
E. Cloose, 2009

Les combines du téléphone fixe et portable
(nouvelle édition, CD inclus)
J. Lamoureux, 2009

Le français pour les sciences
J. Tolas, 2004

ENTRAÎNEMENT AUX EXAMENS

Lire la presse
B. Chovelon, M.-H. Morsel, 2005
Manuel — Corrigés des exercices

Le résumé, le compte rendu, la synthèse
Guide d'entraînement aux examens et concours
B. Chovelon, M.-H. Morsel, 2003
Manuel avec corrigés des exercices

**Cinq sur cinq. Évaluation de la compréhension
orale au niveau B2 du CECR** (CD inclus)
R. Rœsch, R. Rolle-Harold, 2006

DIDACTIQUE & ORGANISATION DES ÉTUDES

**Cours de didactique du français
langue étrangère et seconde** (2de éd.)
J.-P. Cuq, I. Gruca, 2005

**Nouvelle donne pour les Centres universitaires
de français langue étrangère**
ADCUEFE, 2004

**Diplômes universitaires en langue et culture
françaises**
ADCUEFE, 2004

**L'enseignement-apprentissage du français
langue étrangère en milieu homoglotte**
ADCUEFE, 2006

La France

*L*a France s'inscrit dans un hexagone. Aucun point du territoire n'est à plus de 500 km d'un rivage, et aucun point n'est à plus de 1 000 km d'un autre. Il est possible, en voiture comme en train, de traverser la France du nord au sud et d'est en ouest en moins d'une journée.

La France est le seul pays européen ouvert à la fois sur la mer du Nord, la Manche, l'océan Atlantique et la mer Méditerranée.

Les emblèmes nationaux

La constitution de 1958 privilégie le drapeau comme emblème national.

Cependant le coq devient symbole de la Gaule et des Gaulois à la suite d'un jeu de mots : le terme latin *Gallus* signifiant à la fois coq et Gaulois. Marianne incarne aussi la République. L'origine de cette appellation n'est pas déterminée avec précision. Aujourd'hui on trouve dans les mairies des bustes de Marianne, et sa représentation figure sur les timbres poste.

+ Pour en savoir plus

■ Nom : France
Forme : hexagone
Superficie : 550 000 km^2
Nombre d'habitants : 63 400 000
Capitale : Paris
Climat : tempéré
Drapeau : bleu, blanc, rouge
Hymne : la Marseillaise
Devise : « liberté, égalité, fraternité »
Emblèmes : le coq, Marianne

? Le saviez-vous ?

■ La Marseillaise a été composée en 1792. À l'origine, c'était un chant révolutionnaire et un hymne à la liberté. Aujourd'hui, certains Français lui reprochent ses paroles guerrières.
Voici le refrain :
Aux armes, citoyens !
Formez vos bataillons !
Marchons, marchons !
Qu'un sang impur
Abreuve nos sillons !

La France dans l'Europe

En 1957, la France fait partie des 6 pays fondateurs de ce qui deviendra l'Union européenne avec l'Allemagne, l'Italie, le Luxembourg, la Belgique et les Pays-Bas. En 2007, l'UE est composée de 27 pays dont 13 ont adopté l'euro. Le Parlement européen, qui compte 785 députés élus pour 5 ans, a son siège à Strasbourg.

+ Pour en savoir plus

■ Les symboles de l'Union européenne :
- un drapeau représentant 12 étoiles sur un fond bleu ;
- un hymne tiré de l'*Ode à la joie* de Beethoven ;
- une devise (« Unis dans la diversité ») et une fête célébrée le 9 mai.

Le drapeau européen : 12 étoiles rappelant les mois de l'année et les 12 signes du zodiaque.

La France métropolitaine

Le relief

C'est grâce au mont Blanc (4 807 m) que la chaîne des Alpes détient le record d'Europe de hauteur. On trouve, dans les Alpes, cinq sommets à plus de 4 000 m d'altitude et plus de 300 km² de glaciers.

Le Massif central regroupe les plus anciennes montagnes, le point culminant est à 1 886 m, et on y trouve des volcans (éteints).

Le Crêt de la Neige atteint 1 718 m dans le Jura.

Le ballon de Guebwiller (1 824 m) est le plus haut sommet des Vosges.

Le point le plus élevé des Pyrénées françaises est le pic Vignemale (3 298 m).

La France est le seul pays européen ouvert à la fois sur la Mer du Nord, la Manche, l'océan Atlantique et la Méditerranée.

Les cours d'eau

Sur les cinq grands fleuves que compte la France, seules la Seine et la Loire coulent entièrement sur le territoire français.

Le Rhône prend sa source dans un glacier suisse, et la Garonne dans les Pyrénées espagnoles. La plus grande partie du cours du Rhin se situe hors des frontières de la France (Suisse, Allemagne, Pays-Bas).

Le climat

Le climat de la France métropolitaine est tempéré, et les températures sont modérées. Les moyennes annuelles sont de 10°c au nord et de 15°c au sud, ce qui n'empêche pas les températures extrêmes (- 30°c en Alsace et 40°c à Toulouse).

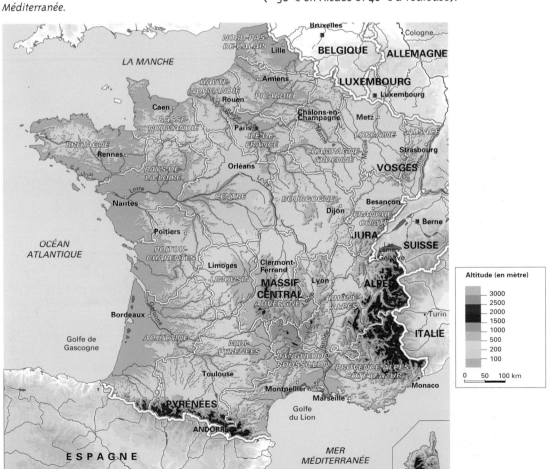

▪ L'organisation administrative

La France compte 96 départements, 22 régions en métropole et quatre départements d'outre-mer qui sont autant de régions. Le découpage départemental est le fait de la Révolution, et sa réalisation date de 1790. Les départements sont numérotés en fonction de leur ordre alphabétique (sauf pour l'Île de France et le territoire de Belfort).

Ces numéros constituent une partie du code postal.

Les régions sont dotées d'un conseil régional dont les membres sont élus au suffrage universel dans le cadre des départements.

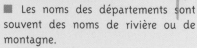

+ Pour en savoir plus

▪ Les noms des départements sont souvent des noms de rivière ou de montagne.

La superficie de chaque département est en moyenne de 6 100 km².

Le chef-lieu est situé de telle sorte que l'on pouvait s'y rendre à cheval en une journée de n'importe quel point du département.

La France administrative

MIDI-PYRENEES	région
□ *Bordeaux*	chef-lieu de région
▫ Agen	chef-lieu de département

0   50   100 km

Les principales villes

Paris, Lyon et Marseille sont les plus grandes villes françaises. Paris intra-muros compte 2 150 000 habitants, sa banlieue 11 millions d'habitants. Les agglomérations lyonnaise et marseillaise comptent environ 1 400 000 habitants chacune.

Toulouse, Bordeaux et Nantes sont les principales villes où les cadres français aimeraient vivre, attirés par l'environnement géographique, mais aussi par leurs performances économiques et leurs richesses culturelles. Paris n'arrive qu'en 12e position.

La population

La France et l'Irlande sont les deux pays européens qui ont le taux de natalité le plus élevé. En 2006, la croissance démographique de la France a atteint son taux le plus important depuis trente ans. C'est dans les départements du sud et du littoral atlantique que la population s'est le plus développée. La population urbaine a peu augmenté, alors que les zones situées autour des villes ont vu leur nombre d'habitants s'élever notablement.

La population rurale semble stable, en revanche le nombre d'agriculteurs a diminué : ils représentent 3 % de la population active.

25 % de la population a moins de 20 ans, 21 % a 60 ans et plus.

+ Pour en savoir plus

En 2007, la France comptait 36 683 communes dont la plus petite, située dans le département de la Drôme, n'avait qu'un habitant. C'est le pays d'Europe qui possède le plus grand nombre de communes (presque autant que l'ensemble des communes européennes). Elles sont administrées par un maire et un conseil municipal élus tous les 6 ans.

Environ 1 000 communes ont un conseil municipal d'enfants qui se réunit et fait des propositions.

La proportion d'étrangers en France a peu changé : environ 5,5 % de la population. La plupart d'entre eux sont d'origine européenne (45 %) et africaine (39 %), et sont installés dans la région parisienne (40 %). En 2006, 100 000 étrangers ont obtenu la nationalité française après avoir fait une demande de naturalisation. Le nombre d'étrangers clandestins est évidemment difficile à évaluer, la plupart vivant dans une grande précarité et dans la crainte d'être reconduits à la frontière.

« La petite France », célèbre quartier de Strasbourg, est une vraie Venise du Nord avec ses canaux et ses ruelles étroites.

La France d'outre-mer

Les îles de l'océan Indien

L'île de la Réunion est un département et une région d'outre-mer. Cette île, déserte à l'origine, est aujourd'hui peuplée de 700 000 personnes. La société réunionnaise, très métissée, est composée de 35 % de Malgaches et d'Africains, de 25 % d'Européens dont seulement 5 % de métropolitains, d'Indiens et de Chinois. Saint-Denis en est la ville principale.

Mayotte est un petit archipel volcanique qui possède un des plus beaux lagons du monde délimité par une barrière de corail de 160 km. Plus des deux tiers des Mahorais parlent peu ou pas du tout le français, la langue officielle.

Les Terres Australes et Antarctiques situées au sud de l'océan Indien sont composées d'une série d'îlots dont les Îles Kerguelen, et d'une portion du continent Antarctique : la Terre Adélie. Ces terres qui sont inhabitées (seules quelques équipes de scientifiques y séjournent), forment un TOM (territoire d'outre-mer) et sont classées en réserves naturelles.

Les îles de l'océan Pacifique

La Nouvelle-Calédonie est peuplée à 44 % par les Kanaks (peuple mélanésien) et à 34 % par les Caldoches d'origine européenne. Sa population s'élève à 217 000 habitants. Nouméa est la ville principale. La Nouvelle-Calédonie a un statut particulier depuis 1989, et devra décider en 2014 de son maintien ou non dans la République française. Actuellement, l'État reste compétent pour la justice, la défense et l'ordre public.

La Polynésie française est composée d'un grand nombre d'îles paradisiaques. Papeete est la capitale de Tahiti, la plus importante de ces îles.

La Polynésie française compte 245 000 habitants dont 43 % ont moins de 20 ans. La pêche, et le tourisme sont les principales richesses de l'archipel. La France a utilisé jusqu'en 1996 l'atoll de Mururoa pour y faire des essais nucléaires. Wallis et Futuna sont deux petites îles d'environ 15 000 habitants.

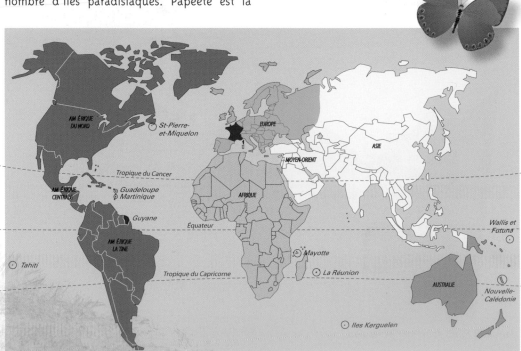

■ Les îles de l'océan Atlantique

Dans les Caraïbes, la Guadeloupe et la Martinique sont les îles principales de l'archipel des Petites Antilles. On y parle un créole de français marqué par l'anglais, l'espagnol et le portugais. Les mots d'origine africaine sont très rares.

La Martinique compte 380 000 habitants dont 95 000 dans Fort-de-France, la ville principale. Quant à La Guadeloupe, sa population s'élève à 450 000 habitants.

Saint-Pierre-et-Miquelon sont des îles situées dans l'Atlantique Nord, près du Canada. Les 6 500 habitants y vivent surtout de la pêche.

■ Un département en Amérique du Sud

La Guyane, dont le chef-lieu est Cayenne, a été jusqu'en 1945 la ville où les bagnards (des prisonniers condamnés au bagne) étaient débarqués, puis envoyés dans les îles proches. Aujourd'hui, on connaît surtout de La Guyane, Kourou, base de lancement de la fusée européenne Ariane. Sa population, en pleine croissance, s'élève à 160 000 habitants dont la moitié a moins de 20 ans.

? Le saviez-vous ?

■ La monnaie utilisée dans les départements et régions d'outre-mer est l'euro, il en est de même à Mayotte et à Saint-Pierre-et-Miquelon.

+ Pour en savoir plus

■ La Réunion, la Martinique, la Guadeloupe et la Guyane sont des DOM-ROM (départements et régions d'outre-mer). Ce sont des régions et des départements au même titre que ceux de la métropole. Leurs représentants élus siègent à l'Assemblée nationale. Dans l'océan Atlantique, Saint-Martin et Saint-Barthélemy forment un arrondissement du département de la Guadeloupe. Les COM (collectivités d'outre-mer) Mayotte, Saint-Pierre-et-Miquelon, Wallis et Futuna ont des statuts particuliers. La Polynésie française et la Nouvelle-Calédonie sont des pays d'outre-mer (POM), la Polynésie française est également une collectivité d'outre-mer, tandis que la Nouvelle-Calédonie a un statut provisoire.

Avec les lagons du Pacifique, la France possède certains des fonds sous-marins les plus spectaculaires du monde.

Le site de Kourou en Guyane a été choisi pour le lancement de la fusée Ariane en raison de sa situation géographique et de sa faible densité de population.

■ Langue française et francophonie

On parle français au-delà des frontières de la France.

Le français est la langue maternelle des habitants de la Belgique wallonne, du Québec et de la Suisse romande.

Le français est la langue officielle, ou une des langues officielles, d'une trentaine de pays : en Europe (le Luxembourg, la Belgique, la Suisse), en Afrique francophone, mais aussi à Madagascar, à Haïti, à l'île Maurice, etc. 68 pays appartiennent à l'OIF (Organisation internationale de la francophonie).

On compte de nombreuses personnes parlant le français au Moyen-Orient (au Liban, en Israël, en Égypte), en Extrême-Orient (au Laos, au Viêt-nam, au Cambodge), mais aussi aux États-Unis : en Louisiane où une communauté (les Cajuns) essaie de faire survivre la langue française.

Le français est une langue importante en Algérie, au Maroc et en Tunisie.

+ Pour en savoir plus

■ Depuis 1635, l'Académie française, fondée par Richelieu, fixe la langue, codifie l'orthographe et rédige un dictionnaire (9 éditions).

ET MAINTENANT A VOUS...

Regardez les différentes cartes de ce chapitre et répondez aux questions suivantes :

1. Dans quelle région sont situées les villes suivantes : Nice, Caen, Besançon, Grenoble, Lille, Bordeaux et Strasbourg ?

2. Sur quels fleuves sont situées les villes suivantes : Lyon, Orléans, Rouen, Nantes, Avignon, Bordeaux ?

3. Près de quelle frontière se trouve le Jura ?

4. Près de quel massif montagneux se trouvent les villes suivantes : Annecy, Clermont-Ferrand, Pau, Épinal, Albertville ?

5. Ils habitent quelle ville ?
Les Grenoblois, les Lyonnais, les Bordelais, les Toulousains, les Marseillais, les Montpelliérains, les Strasbourgeois ?

6. Ils habitent quelle région ?
Les Rhônalpins, les Bretons, les Alsaciens, les Lorrains, les Auvergnats, les Francs-comtois, les Bourguignons ?

7. Ils habitent quelle île ?
Les Tahitiens, les Réunionnais, les Guadeloupéens, les Martiniquais ?

8. Citez les pays frontaliers de la France. Comment appelle-t-on leurs habitants ? leurs habitantes ?

Le **Calendrier** 2

*L*e calendrier grégorien, élaboré en 1582 sous l'autorité
du pape Grégoire XIII, est utilisé en France depuis cette
époque. Il a remplacé le calendrier Julien, mis en place par
Jules César en 45 avant J.-C., et qui comportait quelques
imperfections.

Une année en France

Histoire

Avant Jules César, le calendrier ne comportait que dix mois et commençait en mars.

Janvier, mars, avril, mai et juin viennent du nom des dieux et déesses romains Janus, Mars, Aphrodite, Malia et Junon ; février vient du mot latin *februarus*.

Juillet et août, mois des purifications, correspondent aux noms de Jules César et de l'empereur romain Auguste.

Septembre, octobre, novembre et décembre signifient respectivement, septième, huitième, neuvième et dixième mois.

Une année animée

Parallèlement aux fêtes civiles et religieuses qui ponctuent la vie des Français, chaque mois de l'année est marqué par un événement important : un salon, une compétition sportive, un événement culturel ou des vacances.

● En janvier a lieu le Paris-Dakar, grand rallye automobile qui traverse différents déserts ; c'est aussi le mois où les maisons de haute couture présentent les collections d'été. C'est également la période des soldes d'hiver, dont la date est fixée par les préfets dans chaque département.

● En février, le salon international de l'agriculture se tient chaque année à Paris. Il permet aux visiteurs de découvrir le monde de l'agriculture, aux industriels d'exposer les derniers modèles de machines agricoles et aux éleveurs de présenter leur meilleur bétail et de participer à des concours.

● Avril, c'est la période des courses de chevaux et la saison des grands prix qui passionnent de nombreux parieurs.

● Pour les amateurs de sport, le mois de juin est celui des internationaux de France de tennis (tournoi de Rolland Garros). Ce mois est aussi celui du baccalauréat pour les lycéens. Durant cette période, les commerçants préparent les soldes d'été, qui commencent en général à la fin du mois de juin.

● Le tour de France cycliste est le grand événement sportif international du mois de juillet. Les mois d'été sont les mois des vacances et des festivals (danse, musique, théâtre, etc.).

● En septembre, c'est la rentrée des classes et les vendanges, et en automne on fête l'arrivée du beaujolais nouveau et des prix littéraires.

Le maillot jaune récompense le premier coureur au classement général du tour de France. Le vainqueur du tour de 1919 a été le premier à porter le maillot jaune, aux couleurs du journal L'Auto.

Les domaines viticoles emploient des travailleurs saisonniers, français ou étrangers, pour la période des vendanges qui se déroule entre septembre et octobre, selon les régions et les conditions climatiques.

Le prix Goncourt, créé en 1903, est remis chaque année, début novembre, à un auteur de roman français.

Gilles Leroy

Alabama Song

roman

PRIX
GONCOURT
2007

MERCVRE DE FRANCE

Du Jour de l'an à la Saint-Sylvestre

L'année commence le 1er janvier et se termine le 31 décembre (jour de la Saint-Sylvestre). Le calendrier des postes, dont l'usage est généralisé, donne le nom d'un saint pour chaque jour de l'année ; c'est parmi ces noms de saints que l'on peut choisir les prénoms des enfants à venir.

Chaque individu, chaque métier, chaque corporation a son saint patron. Saint Christophe est, par exemple, le patron des automobilistes. Certains conducteurs ont dans leur véhicule, sur le tableau de bord ou accroché au rétroviseur, une représentation de ce saint qui est supposé les protéger des accidents.

Les jours se suivent, mais ne se ressemblent pas

Le calendrier comporte des fêtes civiles ou religieuses. Certaines de ces fêtes sont légales, et ces jours-là, dits fériés, on ne travaille pas. Il y a en France, dix jours fériés.

Certains ont des dates fixes :
— le 1er janvier, le Jour de l'an ;
— le 1er mai, la fête du Travail ;
— le 8 mai, l'Armistice de 1945 ;
— le 14 juillet, la fête nationale ;
— le 15 août, l'Assomption ;
— le 1er novembre, la Toussaint ;
— le 11 novembre, l'Armistice de 1918 ;
— le 25 décembre, Noël.

D'autres jours sont mobiles :
— le lundi de Pâques ;
— le jeudi de l'Ascension.

Environ deux cents prénoms figurent sur le calendrier catholique romain.

Les fêtes civiles légales

Le Jour de l'an

Le premier janvier, premier jour de l'année civile, clôt les fêtes de fin d'année. Le passage à la nouvelle année commence la veille : le réveillon de la Saint-Sylvestre réunit généralement des amis. À minuit exactement, on débouche les bouteilles de champagne, on s'embrasse et on échange des vœux de bonne année et de bonne santé.

Le 1er Mai

Ce jour est férié depuis 1947.
En 1889, le Congrès international socialiste, a déclaré le 1er Mai jour de revendication des travailleurs. C'est un jour consacré aux défilés des syndicats dans les grandes villes. Traditionnellement on offre un brin de muguet en guise de porte-bonheur. Exceptionnellement la cueillette et la vente du muguet sont libres ce jour-là.

Le 14 Juillet

La fête nationale commémore la prise de la bastille en 1789 et la fête de la fédération en 1790, deux épisodes emblématiques de la Révolution française. À Paris, et dans les grandes villes, les militaires défilent. Le soir, on danse dans la rue, et, à la nuit tombée, on tire des feux d'artifice. C'est la fête civile qui suscite la plus forte participation.

Le 8 Mai

C'est le jour anniversaire de la fin de la Seconde Guerre mondiale et de la victoire de 1945.

Défilé des différents corps militaires le 14 Juillet, à Paris, sur les Champs Élysées en présence du président de la République.

Le 11 Novembre

Le 11 Novembre est la date anniversaire de l'Armistice de 1918 entre l'Allemagne et la France. Ce jour-là, on fleurit les monuments aux morts élevés en hommage aux victimes de cette guerre.

En hommage aux combattants morts pendant la Première Guerre mondiale, 36 000 monuments ont été érigés entre 1918 et 1926 par les communes.

Les fêtes religieuses légales

■ Pâques

Pâques est la grande fête chrétienne qui commémore la résurrection du Christ. Elle a lieu le dimanche qui suit la première pleine lune après l'équinoxe de printemps (entre le 22 mars et le 25 avril). Le lundi qui suit est un jour férié.
Les cloches des églises s'arrêtent de sonner pendant trois jours en signe de deuil, à compter du vendredi saint, date de la mort de Jésus, jusqu'au dimanche de Pâques, date de sa résurrection. D'après la légende, les cloches s'arrêtent de sonner parce qu'elles partent à Rome et reviennent chargées de cadeaux. Quand les cloches se remettent à sonner le matin de Pâques, les enfants recherchent des cadeaux tombés du ciel (œufs, lapins, poules, poissons et cloches en chocolat).
Le lundi de Pâques, selon la tradition, on mange de l'agneau en famille.

Pendant la période des fêtes de Pâques, les confiseurs, les boulangers, les pâtissiers vendent des confiseries au chocolat en forme d'œufs, de poules, de cloches, etc.

■ L'Ascension

Cette fête a lieu un jeudi, quarante jours après le dimanche de Pâques. Elle célèbre le miracle de l'élévation de Jésus-Christ dans le ciel, quarante jours après sa résurrection.

■ Le 15 Août

Ce jour-là, on fête l'Assomption, qui fait référence à l'enlèvement miraculeux de la Vierge par les anges, à l'issu de sa vie terrestre.

Le chrysanthème est la fleur de la Toussaint. Il résiste très bien au froid et fleurit les tombes le jour de la fête des morts.

■ Le 1er Novembre

Ce jour là on célèbre tous les saints. Le lendemain, le 2 novembre, c'est la fête de tous les morts. À cette occasion, les Français vont dans les cimetières déposer des fleurs sur les tombes, et en particulier des chrysanthèmes.

Le 25 décembre

Noël, qui célèbre la naissance du Christ, n'est plus une fête religieuse pour une majorité de Français, mais une fête de l'enfance. Elle reste essentiellement familiale.

Les catholiques vont à la messe de minuit le 24 décembre. On mange traditionnellement de la dinde et un gâteau appelé bûche de Noël, et bien sûr, le Père Noël apporte des cadeaux qu'il dépose au pied du sapin.

+ Pour en savoir plus

Plus de 80 % des Français se disent catholiques. L'islam est la deuxième religion de France avec environ 5 % d'adeptes. L'Aïd el Kebir (la grande fête en arabe) commémore le sacrifice d'Abraham. À cette occasion, les musulmans sacrifient un mouton qui est consommé au cours d'un grand repas de famille. Cette fête a lieu à la fin du douzième mois lunaire qui est le mois du pèlerinage à La Mecque. Les autorités sanitaires sont très attentives aux conditions d'abattage des animaux. Elles mettent à disposition de la communauté musulmane des lieux qui permettent de tuer les moutons dans le respect du rituel et des lois sanitaires.

La bûche de Noël est un gâteau qui rappelle la bûche de bois que l'on brûlait autrefois dans la cheminée.

? Le saviez-vous ?

En France, le Père Noël existe !

Si, pendant le mois de décembre, vous écrivez au Père Noël, il vous répondra. En effet, un service spécial est mis en place par l'administration des postes pendant la période des fêtes. Ce service s'efforce de répondre à toutes les lettres adressées au Père Noël.

Chaque année, plus de 6 millions de sapins sont vendus en France dont un million environ sont des arbres artificiels.

Une crèche : représentation de la Nativité (naissance de Jésus Christ dans une étable).

Quelques autres fêtes

Ces autres fêtes ne sont pas des jours fériés, mais elles donnent aux Français l'occasion de partager les mêmes rituels.

L'Épiphanie

Cette fête d'origine orientale est célébrée le premier dimanche après le jour de l'an. Elle commémore l'adoration du Christ par les Rois mages.

À cette occasion, on partage une galette à la frangipane (crème à base d'amandes pilées) ou une brioche, dans laquelle sont dissimulées de petites figurines qui, traditionnellement, représentaient un roi ou une reine. Autrefois en porcelaine, aujourd'hui en plastique, elles sont appelées fèves en souvenir de l'époque où il s'agissait de haricots. De nos jours elles prennent toutes sortes de formes selon la mode et la fantaisie du boulanger ou du pâtissier. Ces galettes sont vendues avec des couronnes en papier doré ou argenté. Celui ou celle qui trouve la fève dans sa part de gâteau est reine ou roi pour la journée. Il est d'usage de boire du champagne ou un vin pétillant pour accompagner la galette. Il arrive qu'on tire les rois à plusieurs reprises entre amis, entre voisins, en famille ou au bureau.

La Chandeleur

Le 2 février, on fête la purification de la Vierge. Son origine est à la fois juive et chrétienne. Son nom vient du latin *festum candelorum* (fête des chandelles).

La tradition est de manger des crêpes, et de les faire sauter dans la poêle d'une main en tenant une pièce de monnaie dans l'autre main. C'est, dit-on, une garantie de bonheur et de prospérité.

Les crêpes sont meilleures accompagnées d'un bon cidre bouché.

Les crêpes sont une spécialité bretonne, on les appelle galettes quand elles sont salées et faites à base de farine de sarrasin.

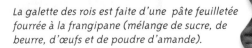

La galette des rois est faite d'une pâte feuilletée fourrée à la frangipane (mélange de sucre, de beurre, d'œufs et de poudre d'amande).

Depuis les années 1960 les formes et les motifs de fèves se sont multipliés pour le plus grand plaisir des collectionneurs.

Mardi gras

En février, le mardi gras est le dernier jour du carnaval.
Les enfants, et parfois les adultes, se déguisent. Certaines villes, comme Nice, organisent de grands carnavals à vocation touristique avec des défilés de chars. Dans d'autres villes comme Dunkerque, le carnaval, jour où tout est permis, est une vraie fête populaire avec ses rites et ses traditions.

Durant cette période, on mange des gâteaux confectionnés à la maison ou par des pâtissiers qui prennent des formes et des noms différents selon les régions (oreillettes, merveilles, bugnes, beignets, etc.).

Emblématiques des fêtes et des carnavals du nord de la France, les géants représentent des héros fabuleux, des travailleurs, des animaux ; ils peuvent mesurer jusqu'à huit mètres et nécessitent parfois plusieurs porteurs.

? Le saviez-vous ?

Le mot « carnaval » vient du latin *carnelevare* qui signifie enlever ou retirer la viande. La suppression de la viande correspond au carême, période de 40 jours qui précède Pâques, durant laquelle les chrétiens consacraient leur temps à la prière et au jeûne.

La Saint-Valentin

Le 14 février, on fête la Saint-Valentin.
Depuis le XVe siècle, l'Église a fait de ce saint le patron des amoureux.

L'origine de la fête est probablement romaine, mais elle reste mystérieuse... comme l'amour.

Aujourd'hui on célèbre cette fête en envoyant une carte ou en offrant un cadeau à celle ou à celui que l'on aime. Des cœurs rouges et roses envahissent les vitrines, à Paris les panneaux lumineux d'information affichent les plus beaux messages d'amour des internautes.

Le 1er avril

La tradition veut que le 1er avril soit le jour des plaisanteries : on dit « Poisson d'avril ! » à ceux à qui l'on fait une farce. Ce jour-là, les journaux, la radio et la télévision annoncent parfois de fausses nouvelles. L'habitude de faire des farces disparaît peu à peu. L'origine de cette fête n'est pas déterminée avec précision.

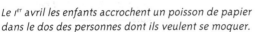

Le 1er avril les enfants accrochent un poisson de papier dans le dos des personnes dont ils veulent se moquer.

La fête des Mères

La fête des Mères a lieu le dernier dimanche du mois de mai. Déjà au VIe siècle, à Rome, une fête des Mères était célébrée, et en 1806 Napoléon en avait évoqué l'idée. Cette fête est officielle depuis 1929.
La fête des Pères, créée en 1952, a lieu le troisième week-end du mois de juin.

La fête de la musique

La fête de la musique a été imaginée en 1981 par un compositeur et popularisée par un ministre de la Culture français. Sa première édition a eu lieu le 21 juin 1982. Le 21 juin a été retenu car c'est à la fois le premier jour de l'été et le solstice d'été (le jour le plus long de l'année). Cette fête a pour vocation de promouvoir la musique en encourageant les musiciens amateurs à se produire dans les rues. De nombreux concerts gratuits sont organisés à cette occasion.
En 15 ans, cette fête s'est diffusée dans plus de 100 pays sur les cinq continents.

Les nuits blanches

À Paris, dans la nuit du premier samedi au premier dimanche d'octobre, de 19 heures à 7 heures du matin, la « nuit blanche » a pour objectif de rendre l'art accessible à tous, de mettre en valeur l'espace urbain et de créer un moment de convivialité.

À cette occasion, le public peut visiter différents lieux et assister à des manifestations culturelles. La première édition s'est tenue en 2002 à l'initiative du maire de Paris, les éditions successives ont remporté un grand succès. D'autres villes en France et en Europe ont également leur « nuit blanche ».

Édifié à l'occasion de l'exposition universelle de 1900, le Grand Palais est une prouesse architecturale symbolisée par une magnifique verrière, ici illuminée à l'occasion des nuits blanches.

Proverbes et dictons

En avril, ne te découvre pas d'un fil ;
En mai, fais ce qu'il te plaît.

ET MAINTENANT À VOUS...

Répondez par vrai ou faux.

1. Toutes les fêtes correspondent à des jours fériés.
2. À la Chandeleur, on tire les rois.
3. La fête des Mères est officielle depuis Napoléon.
4. Le 1er Mai est une fête religieuse.
5. Il y a 11 jours fériés en plus des dimanches.
6. La fête des Pères n'existe pas.
7. La fête de la musique date de la Révolution.
8. On danse dans les rues pour la fête des Mères.
9. Le protestantisme est la deuxième religion de France.
10. Les jours fériés correspondent exclusivement à des fêtes civiles.

Associez les fêtes à leurs symboles.

1. La fève
2. Le muguet
3. Les feux d'artifice
4. Les crêpes
5. Les cloches
6. Les chrysanthèmes
7. Les amoureux
8. La dinde

A. La Saint-Valentin
B. Pâques
C. La Chandeleur
D. La Toussaint
E. La fête du Travail
G. Le 14 Juillet
H. L'Épiphanie
I. Noël

La Famille

*U*ne famille, c'est au moins deux personnes vivant sous le même toit : un couple (avec ou sans enfants) ou un adulte et au moins un enfant. Plus de 80 % de la population française vit en famille. Au cours des cinquante dernières années, la cellule familiale traditionnelle a profondément changé : augmentation des divorces, des familles monoparentales, des familles recomposées, etc. Malgré tous ces bouleversements, la famille demeure une valeur essentielle de la société française.

La vie de famille appartient au domaine privé mais c'est aussi une affaire publique car son évolution a de multiples répercussions sur la société. C'est la raison pour laquelle les gouvernements successifs ont mis en place une véritable politique familiale.

Les noms de famille et les prénoms

Martin reste le nom de famille français le plus fréquent, suivi de Bernard et Thomas (ces trois noms pouvant aussi être des prénoms). Il y a plus de probabilités de rencontrer un Monsieur ou une Madame Petit qu'un Monsieur ou une Madame Dupont, nom qui n'arrive qu'en vingt-deuxième place. Les noms de professions sont à l'origine de nombreux patronymes comme Meunier, Boulanger, de même les noms de lieux ont donné des Duval, des Dumont ou des Dumoulin.

Les noms à particules

La particule « de » n'est pas nécessairement un signe de noblesse, elle marque parfois l'origine géographique d'une personne, par exemple : François de Plazac (Plazac étant un village du Périgord). Aujourd'hui, quelques citoyens français portent encore le titre de duc, marquis ou comte.

La fin du patronyme

Depuis la loi de 2005, le mot patronyme (patro vient du latin *pater*, le père) a été remplacé par le nom de famille. Cette loi permet aussi aux enfants de porter le nom de leur père ou de leur mère, ou une combinaison des deux noms, et de les transmettre à leurs propres enfants. Mais il n'est pas possible de garder les deux doubles noms. Les frères et les sœurs doivent porter le même nom, et, en cas de désaccord, c'est le nom du père qui est retenu.

De nombreuses petites Léa, Laura, Chloé, et de nombreux petits Thomas, Lucas, et Théo ont vu le jour : ces prénoms sont à la mode depuis une dizaine d'années.

Les prénoms usuels

Depuis 1993, la loi permet aux parents de choisir librement le prénom de leur enfant, à condition qu'il ne soit pas ridicule ! Les nouveau-nés doivent être déclarés auprès du service de l'état civil de la commune où ils sont nés.

+ Pour en savoir plus

Si vous jugez que votre nom est ridicule ou a une consonance étrangère gênante, vous pouvez le faire modifier, mais la procédure est longue et coûteuse.

À la maternité, le bracelet d'identification des nouveau-nés où figurent le nom, le sexe et la date de naissance du bébé évite la crainte courante du bébé échangé.

Le mariage

Depuis les années 1970, le nombre de mariages est en baisse, comme partout en Europe. On en compte en moyenne 276 000 par an. Les Français se marient de plus en plus tard, 29 ans pour les femmes et 31 ans pour les hommes.

Depuis 2005, l'âge légal du mariage est de 18 ans pour les filles comme pour les garçons, il s'aligne donc sur l'âge de la majorité civile. Cependant, des dérogations peuvent être accordées aux mineurs. Pour cela, ils doivent obtenir une dispense d'âge délivrée par le procureur de la République pour motifs graves (en général quand la jeune fille est enceinte), ainsi que l'autorisation de leurs parents.

Signature du registre des mariages à la mairie en présence des témoins, du maire ou de l'un de ses adjoints.

Le mariage civil

Le mariage civil est le seul reconnu officiellement. Il faut s'adresser à la mairie du lieu de résidence de l'un des futurs époux. Le maire devra publier les bans au moins dix jours avant la cérémonie, c'est-à-dire qu'il devra afficher le projet de mariage aux portes de la mairie. Les personnes qui connaissent un cas d'empêchement au mariage pourront ainsi s'y opposer. Pour la publication des bans, la loi exige la remise d'un certificat de visite médicale prénuptiale et l'audition préalable des futurs époux par un officier de l'état civil.

Les futurs mariés devront fournir, avec le certificat de publication des bans, les documents suivants :
— un extrait d'acte de naissance ;
— une pièce d'identité ;
— des justificatifs de domicile de chacun des futurs époux ;
— la liste des témoins et leurs coordonnées.

Les femmes ont le choix de garder leur nom de jeune fille, de prendre le nom de leur mari ou d'associer les deux noms.

Le mariage est célébré dans une salle de la mairie, généralement réservée à cet effet, et dont les portes doivent rester ouvertes durant toute la cérémonie, car le mariage est un acte public. Le maire, ou l'un de ses adjoints, officie avec l'écharpe tricolore et remet aux mariés, à la fin de la cérémonie, un livret de famille qui contient l'acte de mariage, et dans lequel les futurs enfants du couple seront également inscrits.

Le mariage religieux

La France étant de tradition judéo-chrétienne, la plupart des mariages religieux ont lieu à l'église. La coutume veut que le futur époux entre en premier au bras de sa mère, et la future épouse entre la dernière au bras de son père.
La cérémonie terminée, les deux mariés sortent ensemble de l'église.
Le mariage religieux ne concerne que la moitié des mariages.

Pour en savoir plus

90 % des couples qui se marient vivaient ensemble avant le mariage, et plus de 120 000 enfants assistent au mariage de leurs parents.
Un mariage sur sept contracté en 2006 était un mariage mixte, c'est-à-dire qu'un des époux était étranger, originaire en majorité d'un pays d'Afrique du Nord. On considère qu'une partie de ces mariages est constituée de mariages blancs, c'est-à-dire fictifs. Un étranger en situation régulière peut demander la nationalité française s'il est marié depuis au moins deux ans avec un ressortissant français.

Sortie des mariés sur le parvis de l'église.

Une fête familiale

Le mariage est, comme partout, l'occasion de réunir sa famille et ses amis pour une grande fête. Pour annoncer l'événement, il est d'usage d'envoyer un faire-part qui précise le lieu et la date de la cérémonie, et d'offrir des dragées (amandes enrobées de sucre) aux parents et amis.

À la sortie de la mairie ou de l'église, les invités lancent du riz ou des pétales de roses sur les mariés pour leur souhaiter bonheur et prospérité. Un cortège de voitures décorées de fleurs et de rubans suit la voiture des mariés en klaxonnant, pendant qu'elle se dirige vers le lieu où une réception est offerte aux invités.
Le repas de mariage se termine généralement par une pièce montée, gâteau souvent fait de choux à la crème disposés en pyramide, que les mariés découpent et servent aux convives.

80 % des mariages ont lieu un samedi entre le mois de juin et le mois de septembre. Les futurs époux et leurs familles dépensent en moyenne 10 000 € pour cet événement.
À cette occasion, les parents et les amis offrent un cadeau aux futurs époux, qui peuvent déposer des listes de mariage dans différents magasins.

Selon l'usage, ce sont les familles respectives des futurs mariés qui annoncent le mariage.

La pièce montée est un gâteau surmonté de petites figurines dont la forme varie avec l'événement fêté (baptême, communion, mariage, etc.).

Les nouvelles familles

L'union libre

Le nombre de couples non mariés continue d'augmenter depuis les années 1970, ils seraient aujourd'hui 2 500 000. Parmi eux, plus d'un million vivent avec des enfants. L'arrivée d'un enfant n'entraîne plus systématiquement la régularisation d'une union. Plus de la moitié des premières naissances a lieu hors mariage. L'union libre ne semble plus être un mariage à l'essai. Devant cette situation, l'État a été amené à prendre des mesures en faveur du concubinage. Les mairies peuvent établir une attestation de concubinage qui permettra par exemple au membre du couple qui ne travaille pas de bénéficier de la Sécurité sociale de son compagnon ou de sa compagne.

Même si la majorité des couples qui se marient aujourd'hui ont vécu ensemble, 10 % des Français se marient encore sans vie commune préalable.

Le pacte civil de solidarité

Le PACS est un contrat entre deux personnes désirant vivre ensemble. Il concerne les couples non mariés et les couples homosexuels. Depuis son adoption en 1999 par l'Assemblée nationale, 230 000 personnes se sont pacsées.

C'est en région parisienne que l'on compte le plus de couples pacsés, et dans les territoires d'outre-mer et en Corse qu'on en compte le moins. Les droits des couples pacsés sont sensiblement les mêmes que ceux des couples mariés. Par exemple, ils peuvent faire une déclaration de revenus commune. En revanche, la loi interdit aux couples homosexuels d'adopter un enfant. L'instauration du PACS a ouvert un débat sur le mariage gay et sur l'homoparentalité.

Les familles monoparentales

Le nombre de familles monoparentales, c'est-à-dire composées d'un ou plusieurs enfants et d'un adulte (le plus souvent une femme), augmente régulièrement : actuellement 19 % des familles sont monoparentales. Un million d'enfants vit avec un seul parent.

Ces familles sont celles qui ont le plus de difficultés financières. L'État leur verse une allocation de parent isolé afin de leur venir en aide. La demande doit se faire auprès de la CAF (Caisse d'allocations familiales). Le montant de cette aide varie selon le revenu, mais n'excède pas 748 € pour un enfant et 184 € par enfant supplémentaire. Cette prestation est versée pour un an ou jusqu'à ce que l'enfant ait trois ans, âge où il peut être scolarisé.

Le divorce

Depuis les années 1970, le nombre de divorces est en nette augmentation : en 2005, on a enregistré 152 000 divorces pour 276 000 mariages. Dans les grandes villes, un mariage sur deux se termine par un divorce.

L'assouplissement des formalités, la diminution des pratiques religieuses et l'indépendance financière des femmes expliquent en grande partie cette augmentation. Les épouses demandent plus souvent le divorce que leurs conjoints : dans trois cas sur quatre. La moitié des couples qui divorcent a des enfants. Le plus souvent ils sont confiés à la garde de la mère, le père voyant ses enfants un week-end sur deux et pendant la moitié des vacances scolaires. De plus en plus de pères s'élèvent contre cette discrimination et se regroupent dans des associations pour demander un droit de garde plus juste à leurs yeux.

Depuis 2002, la loi prévoit aussi la possibilité de résidence alternée : les enfants vivent alternativement, sur des périodes variables (deux semaines en général), chez chacun des parents.

35 % des enfants de couples divorcés ne voient plus leur père.

Le juge aux Affaires matrimoniales détermine le montant de la pension alimentaire qu'un des parents doit verser à celui qui a la garde des enfants.

Papa poule, papa modèle, père au foyer ?

ALLOCATIONS FAMILIALES
Caf de Grenoble

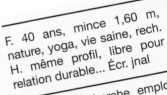

Les modes de rencontres telles que les petites annonces on été remplacés par des sites Internet qui connaissent un succès grandissant.

Les familles recomposées

Ce sont des familles dont les parents ont eu des enfants d'une autre union. C'est le cas d'une famille sur dix. La famille recomposée est la conséquence du nombre important de divorces. Les enfants doivent alors s'adapter à un beau-père ou à une belle-mère et aux enfants de ceux-ci, ainsi qu'à de nouveaux grands-parents. Souvent, ils ont aussi des demi-frères et des demi-sœurs. Lorsqu'ils vivent avec un parent et un beau parent, c'est plus souvent avec leur mère et un beau-père (63 % des cas) qu'avec leur père et une belle-mère (37 % des cas).

+ Pour en savoir plus

Plus de quatre millions d'enfants vivent dans une famille monoparentale ou recomposée. Trois enfants sur dix ne vivent pas dans une famille traditionnelle.

? Le saviez-vous ?

Le nombre de personnes vivant seules a doublé en 30 ans. Elles sont environ cinq millions, et, parmi elles, ce sont les femmes cadres et diplômées qui sont les plus nombreuses.

Vous recherchez l'âme sœur ?

Dressez son portrait-robot.

Je souhaite rencontrer de préférence une personne :

Aux cheveux :
- ☐ Blonds
- ☐ Bruns
- ☐ Châtains
- ☐ Roux

Aux yeux :
- ☐ Bleus
- ☐ Verts
- ☐ Marrons

À l'allure :
- ☐ Classique
- ☐ Sportive
- ☐ Raffinée

Qui est :
- ☐ Célibataire
- ☐ Veuf (ve)
- ☐ Divorcé(e)

Sa profession :
- ☐ Commerçant
- ☐ Artisan
- ☐ Agriculteur
- ☐ Cadre
- ☐ Employé
- ☐ Fonctionnaire
- ☐ Libérale
- ☐ Ouvrier
- ☐ Artiste
- ☐ Sans importance

Ses qualités primordiales :
- ☐ Humour
- ☐ Franchise
- ☐ Disponibilité
- ☐ Tendresse
- ☐ Intelligence
- ☐ Dynamisme
- ☐ Sensualité
- ☐ Fidélité

La politique familiale

Avec deux enfants par femme, la France a battu, en 2006, le record de la natalité en Europe. Les multiples aides en faveur des familles, ainsi que le développement des différents modes d'accueil de la petite enfance semblent porter leurs fruits. Les différents gouvernements ont mis en place des dispositifs, parfois jugés complexes, dans le but de favoriser le renouvellement des générations.

? Le saviez-vous ?

■ Les femmes ont la possibilité d'accoucher sous X, c'est-à-dire de manière anonyme, et ensuite d'abandonner leur enfant qui pourra alors être adopté.

■ Le recours aux techniques de procréation médicalement assistée est totalement pris en charge par la Sécurité sociale mais se limite à quatre tentatives. On estime à 40 000 le nombre de couples qui recourent chaque année aux diverses techniques de procréation médicalement assistée.

+ Pour en savoir plus

■ Le Planning familial informe les femmes sur les divers moyens de contraception. Les conseillères de cette association aident également celles qui ne souhaitent pas mener leur grossesse à terme.

■ L'interruption volontaire de grossesse (IVG) est légale depuis 1975, et est prise en charge à 80 % par la Sécurité sociale. Elle peut être effectuée jusqu'à la 12e semaine de grossesse, et les jeunes filles mineures n'ont plus besoin de l'autorisation de leurs parents. Les femmes étrangères peuvent demander une IVG sans avoir à justifier une durée minimale de séjour en France.

Je suis née le 22 mai 2007
Je mesure 47 cm et je pèse 3 kg 200

Je m'appelle

Marie

Mes parents sont très heureux

Olivia et Mathieu Delaunay
18, boulevard Victor - 38200 Vienne

Le faire-part de naissance informe la famille et les amis de l'arrivée d'un enfant.

Les congés de maternité et de paternité

Le congé de maternité existe depuis 1909, et sa durée a régulièrement augmenté. Le nombre de semaines de congés varie en fonction du nombre préalable d'enfants. En 2007, le congé de maternité était au minimum de 16 semaines ; pour une troisième naissance il était de 26 semaines.

Depuis 2002, les pères peuvent bénéficier de onze jours consécutifs de congé de paternité qui doivent être pris dans les quatre mois qui suivent la naissance.

Les prestations sociales soumises à ressources

Ces prestations dépendent des revenus de la famille qui ne doivent pas dépasser certains plafonds.

La prime à la naissance ou à l'adoption est versée une fois, en 2007 elle était de 855,25 € pour une naissance. Un complément familial de 155,05 € par mois est versé aux familles qui ont au moins trois enfants de plus de 3 ans. Des aides financières peuvent être accordées pour faire garder son enfant par une assistante maternelle.

Au moment de la rentrée scolaire, les familles qui ont un enfant âgé de 6 à 18 ans reçoivent une allocation de rentrée scolaire (en 2007 de 272,57 € par enfant).

Les prestations non soumises à ressources

Les allocations familiales sont accordées à toutes les familles ayant au moins deux enfants âgés de moins de 20 ans. En 2007, elles s'élevaient à 119,13 € par mois pour deux enfants, à 271,75 € pour trois enfants, puis augmentaient de 152,63 € par enfant supplémentaire

L'âge moyen de la première grossesse en France est de 30 ans environ.

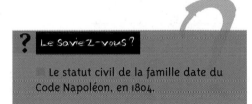

? Le saviez-vous ?

Le statut civil de la famille date du Code Napoléon, en 1804.

Autres prestations

Des aides complémentaires sont accordées aux familles en difficulté, comme l'allocation de parent isolé pour les familles monoparentales, ou l'allocation d'aide aux enfants handicapés. Les familles qui ont trois enfants peuvent bénéficier d'une carte de famille nombreuse et ainsi obtenir des réductions, notamment pour les transports.

? Le savez-vous ?

■ Une candidate à un emploi n'est pas tenue de révéler son état de grossesse pendant la phase de recrutement.

■ Une salariée peut demander à bénéficier de certaines dispositions légales en faveur des femmes enceintes, comme un changement provisoire de poste.

Proverbes et dictons

■ Qui se ressemble, s'assemble.
■ Mariage pluvieux, mariage heureux.
■ Loin des yeux, loin du cœur.
■ L'amour est aveugle.
■ Mains froides, cœur chaud.
■ Il faut laver son linge sale en famille.

Toutes les familles (citoyens français ou étrangers en situation régulière) comptant au moins trois enfants de moins de 18 ans peuvent obtenir la carte de famille nombreuse moyennant 18 €.

ET MAINTENANT À VOUS...

Répondez par vrai ou par faux.

1. Les filles doivent avoir l'autorisation de leurs parents pour se marier.

2. La femme doit porter le nom de son mari.

3. Le divorce par consentement mutuel signifie que les époux refusent de se séparer.

4. Le PACS est réservé aux homosexuels.

5. Une famille monoparentale est une famille où il n'y a qu'un seul enfant.

6. Dans les familles recomposées, le beau-père d'un enfant est le mari de sa mère.

7. Le gouvernement français accorde de nombreuses aides aux familles afin de les inciter à avoir plus d'enfant.

8. L'allocation de rentrée scolaire est accordée à toutes les familles.

9. Les allocations familiales sont versées jusqu'à la majorité de l'enfant.

10. Les pères peuvent bénéficier d'un congé de maternité.

La Table

*L*es Français, grands consommateurs de pain et de vin, seraient-ils en voie de disparition ? La consommation de ces deux produits symboliques est en baisse constante. Des pains de formes et de composition diverses ont tendance à remplacer la traditionnelle baguette. Si les Français consomment moins de vin qu'autrefois, en revanche ils sont plus attentifs à sa qualité. Les Français restent très attachés à leurs traditions culinaires.

Les repas

Dans les grandes villes, la vie moderne a modifié les habitudes alimentaires des Français. La consommation des produits surgelés est en constante augmentation. Le temps passé à cuisiner diminue, et les habitudes alimentaires ont tendance à ressembler à celles de nos voisins européens. Plus de la moitié des Français estime qu'un repas doit être convivial avant d'être équilibré.

? Le saviez-vous ?

Quelle est l'origine du croissant ? Elle est controversée, mais il semble que cette pâtisserie soit originaire de Vienne en Autriche, c'est pourquoi on utilise le terme viennoiserie pour qualifier les croissants, les pains au chocolat, les brioches, etc. C'est Marie-Antoinette d'Autriche, reine de France, qui a officiellement introduit et popularisé le croissant en France à partir de 1770. Aujourd'hui, le croissant est toujours apprécié au petit-déjeuner.

À la maison

Le petit-déjeuner surprend souvent les étrangers par sa frugalité. Il se compose traditionnellement d'une boisson chaude, le plus souvent un café noir ou au lait et plus rarement de thé. La moitié des Français prend des tartines de pain beurrées avec de la confiture. Les enfants boivent du chocolat, souvent accompagné de viennoiseries industrielles, et mangent parfois des céréales. Un Français sur cinq ne prend pas de petit-déjeuner. Même si 70 % des Français prennent leur déjeuner chez eux, particulièrement ceux qui habitent des villes moyennes où le travail s'arrête à 12 heures et reprend à 14 heures, le déjeuner reste le repas le plus souvent pris en dehors du domicile. Dans les grandes villes, il est souvent impossible de rentrer chez soi, alors on mange sur le pouce, et la restauration rapide française ou étrangère attire de nombreux clients, surtout les jeunes. Les salariés peuvent bénéficier de chèques-restaurant, dont une partie est financée par leur entreprise. Ces chèques-repas sont acceptés dans de nombreux établissements.

Croissants, pains au chocolat, pains aux raisins et brioches font souvent partie du petit-déjeuner ou du goûter des enfants.

Le dîner est le repas qui réunit toute la famille, il est le plus souvent pris entre 19 heures et 20 heures, et peut se composer de plusieurs plats, sans oublier le fromage accompagné d'un peu de vin. Il est courant de recevoir la famille ou des amis à dîner. Quand on est invité, il est convenable d'offrir un bouquet de fleurs à la maîtresse de maison, d'apporter une bouteille de bon vin ou parfois un dessert.

À table, la fourchette est placée à gauche de l'assiette, et le couteau à droite. Généralement, les convives disposent de deux verres : un pour l'eau (le plus grand), et le second pour le vin. Habituellement, le repas est servi avec du pain. À l'occasion de grands repas, il peut y avoir plusieurs couteaux et fourchettes : pour le poisson, pour la viande, etc. Le nombre de verres peut aller jusqu'à quatre : l'eau, le vin rouge, le vin blanc et le champagne.

+ **Pour en savoir plus**

■ La France et le Royaume-Uni sont les pays européens qui consomment le moins de pain. La consommation par personne et par jour semble se stabiliser aux environs de 150 grammes.

Les boulangers proposent de nombreuses variétés de pain à base de différentes farines (seigle, maïs, châtaigne, blé, etc.).

? Le saviez-vous ?

■ Même si les règles de « savoir vivre » se sont assouplies, certaines bonnes manières subsistent :
– il faut attendre que la maîtresse de maison commence à manger pour faire de même ;
– le poulet et les autres volailles ne se mangent pas avec les doigts, sauf si la maîtresse de maison vous invite à le faire ;
– on laisse les mains sur la table mais on n'y pose pas les coudes.

Table dressée à l'occasion d'un dîner de fête.

■ Au restaurant

La plupart des restaurants proposent des menus composés d'un choix d'entrées, de plats, de fromages et/ou de desserts. Le plat principal est généralement composé de viande ou de poisson garni de légumes. Il est aussi possible de manger à la carte, c'est-à-dire de commander un seul plat ou de composer son propre menu. Dans ce cas, il faut savoir que les prix sont plus élevés que ceux du menu proposé par le restaurant.

Pour le déjeuner, il existe généralement diverses formules : le client peut choisir une entrée et un plat principal, ou un plat principal associé à un dessert. Les prix de ces formules varient de 12 € à 18 € environ.

Le vin et les boissons sont très rarement compris dans le prix du menu et figurent le plus souvent sur la carte des vins.

En France, vous pourrez bien sûr déguster des escargots ou des cuisses de grenouilles, mais sachez que ces plats sont relativement chers et ne figurent pas sur toutes les cartes !

Généralement, les restaurants traditionnels n'acceptent plus les nouveaux clients après 14 heures pour le déjeuner et 22 heures pour le dîner. Bien sûr, il est toujours possible de manger dans les brasseries ou les établissements de restauration rapide.

? Le saviez-vous ?

■ Si vous commandez de la viande rouge, on vous demandera : « Vous désirez quelle cuisson ? » Il faut savoir que « bleue », signifie que la viande sera à peine cuite, « saignante », peu cuite à l'intérieur et « à point » que la viande sera bien cuite.

+ Pour en savoir plus

■ Au restaurant, deux Français sur trois commandent du vin avec leur repas. On peut demander une bouteille ou un pichet d'un litre, de 50 cl ou 25 cl. Il est également possible de demander seulement un verre de vin. Une carafe d'eau vous sera toujours servie. Depuis janvier 2008, il est formellement interdit de fumer dans tous les lieux publics, et bien sûr dans les restaurants et les cafés.

BRASSERIE LA FRISE

Salade landaise ___ 6 €
Tarte aux poireaux __ 5 €
Brandade de morue __ 9 €
Coq au vin _____ 10 €
Île flottante _____ 4,5 €
Crème brûlée _____ 5 €
Café _____ 1,5 €

Les brasseries sont des cafés-restaurants qui servent des plats du jour et des boissons à des prix généralement abordables.

La cuisine des régions

La France est connue dans le monde entier pour le raffinement de sa cuisine. Les chefs français sont recherchés, et parfois célébrés comme de véritables artistes. Évidemment, la cuisine de tous les jours est plus simple, mais les Français attachent beaucoup d'importance à la qualité, au prix et à la provenance des produits alimentaires qu'ils consomment. Ils font le plus souvent leurs achats dans les grandes surfaces situées à la périphérie des villes. En revanche, le dimanche et pendant les vacances, faire les courses au marché est un véritable plaisir. En été, les marchés paysans ont toujours un vif succès.

■ La cuisine régionale du Sud

Toutes les régions de France ont leurs spécialités culinaires, mais le Sud-Ouest est certainement une des régions les plus riches sur le plan gastronomique : le foie gras aux truffes, le confit de canard accompagné de pommes de terre rissolées à la graisse d'oie, le vin de Bordeaux, etc. Toutes ces spécialités sont particulièrement riches en calories. Le Sud-Ouest illustre parfaitement « le paradoxe français », puisque c'est dans cette région que les gens vivent le plus vieux et ont le taux de cholestérol le plus bas ! La région de Toulouse est célèbre pour son cassoulet qui est un plat de haricots blancs, de charcuterie et de confit d'oie ou de canard.

L'ail et les herbes de Provence sont des condiments très présents dans la cuisine méditerranéenne.

La cuisine provençale est composée essentiellement des fruits et légumes cultivés dans le Sud-Est de la France. Elle est souvent parfumée aux herbes de Provence comme le thym, le romarin et le laurier, et est généralement servie avec un rosé de Provence bien frais. La bouillabaisse, qui est élaborée à partir de divers poissons bouillis accompagnés de légumes variés, se mange avec de la rouille, une sauce pimentée.

L'aïoli, une mayonnaise à l'huile d'olive relevée d'ail, accompagne un plat de légumes et de poissons, le plus souvent de la morue.

Paul Bocuse, maître cuisinier de France, veille à promouvoir à travers sa fondation et son école des produits de qualité et de terroir.

Le foie gras est un mets composé exclusivement de foies (assaisonnés) de canards ou d'oies qui ont été gavés afin que leur foie devienne de taille largement supérieure à la normale.

La cuisine régionale du Nord

En Alsace, la cuisine se compose souvent de charcuterie. La choucroute, un plat de chou fermenté, de charcuterie et de pommes de terre est une des spécialités de cette région. La quiche lorraine, autre plat traditionnel de cette région, est une tarte chaude garnie d'œufs et de lardons. Dans ces régions, on boit surtout de la bière, mais le vin d'Alsace, un vin blanc et fruité, est très apprécié des connaisseurs.

La Bretagne, à l'ouest, est particulièrement réputée pour ses poissons et ses fruits de mer, qu'elle exporte dans tout le pays. Les huîtres, que l'on mange crues ou chaudes, les coquilles Saint-Jacques, les moules, les crustacés comme les homards, les crevettes, etc., y sont d'excellentes qualités.

Les crêpes ou les galettes bretonnes, sucrées ou salées sont célèbres, elles s'accompagnent généralement de cidre, une boisson légèrement alcoolisée à base de pommes.

La Normandie se distingue par la qualité de sa crème fraîche utilisée dans de nombreux plats et par ses fameux fromages, comme le camembert, connu dans le monde entier.

Un plateau de fruits de mer composé de coquillages et de crustacés est servi généralement avec de la mayonnaise et du beurre (doux ou salé).

Quiche lorraine.

Plat de couscous.

Le vin et le fromage

■ Le vin

Les caractéristiques remarquables de chaque vin en France dépendent de trois éléments fondamentaux :
— le terroir ;
— les cépages ;
— le savoir-faire des viticulteurs.
Le terroir désigne le lieu où poussent les pieds de vigne. La qualité du terroir dépend de la qualité du sol, du climat, de l'exposition au soleil et aux vents. Les vins produits au Sud-Est de la France, là où il fait beau, où le soleil est chaud, seront très différents des vins de Champagne, où le sol n'est pas de même nature, et où le soleil est beaucoup plus rare.
Les cépages sont les plants de vigne qui portent le raisin. Il y a en France plus de 100 cépages qui donnent des raisins différents : des raisins à peau noire et à peau blanche, des raisins à chair blanche et à chair rouge. La subtilité des arômes et des parfums qui a fait la réputation des vins français provient de cette grande variété de cépages.
Le savoir-faire et l'art des viticulteurs ont beaucoup évolué depuis une quinzaine d'années. Leur travail est devenu de plus en plus scientifique. Les progrès de l'œnologie, ou science du vin, permettent aujourd'hui de contrôler le vin à chaque étape de son élaboration. Cependant, il reste au viticulteur une part de liberté, où il peut exercer son art et son imagination afin que son vin devienne exceptionnel.

? Le saviez-vous ?

■ Le vin rouge doit être servi chambré, c'est-à-dire à la température ambiante de la pièce. Ne le laissez pas dans la cuisine, car la température y est souvent trop élevée.
Le vin blanc et le vin rosé doivent être servis frais.
Ne mettez jamais de glaçons dans un bon vin !

Le mode de vieillissement en fût de chêne est généralement réservé aux grands vins rouges.

Les viticulteurs, soucieux de la qualité de leurs vins et de l'information des consommateurs, ont élaboré une classification de leurs produits :

— vin de table français : ces vins n'ont pas de qualités particulières, mais ils sont exclusivement d'origine française ;

— vin de pays : ce sont des vins de table dont l'origine géographique est garantie.

L'étiquetage vin de table et vin de pays permet toutes les surprises ! Le vin pourra être excellent comme médiocre.

— AO-VDQS : appellation d'origine-vin délimité de qualité supérieure. Il s'agit d'un vin de bonne qualité qui répond à un certain nombre de conditions de production officielles ;

— AOC : appellation d'origine contrôlée. Ces vins, de grande qualité gustative, proviennent des terroirs les plus prestigieux ; on en dénombre 400.

? Le saviez-vous ?

Même si le poète Alfred de Musset disait « Qu'importe le flacon, pourvu qu'on ait l'ivresse », le vin ne se boit pas dans n'importe quel verre ! Les vins de table, rouges ou blancs, sont servis dans des verres à pied dont la forme varie selon l'origine du vin. Le champagne se boit dans une coupe ou dans une flûte.

+ Pour en savoir plus

La France est le premier pays exportateur de vin d'Europe, devant l'Espagne. Elle est aussi le premier pays producteur, avec l'Italie. Ces deux états, la France et l'Italie, sont les premiers consommateurs de vin d'Europe.

Les Français préfèrent le vin rouge (58 % des achats), suivi du vin blanc (23 % des achats) et du vin rosé (19 % des achats).

Les vins blancs d'Alsace sont souvent servis dans un petit verre ballon, au pied fin et vert qui donne des reflets au vin et accentue l'impression de fraîcheur.

L'étiquette est la carte de visite du vin, elle apporte des informations utiles et légales : l'origine géographique du vin, l'identité du metteur en bouteilles et du producteur, le titre alcoométrique par exemple.

Le fromage

Il existe des centaines de fromages, au lait de vache, de brebis ou de chèvre mais seuls 43 bénéficient de l'appellation AOC. Citons le Brie, le Camembert, le Reblochon, fabriqués à partir du lait de vache ; le Picodon, le Rocamadour provennant du lait de chèvre, et le Roquefort du lait de brebis. Il est difficile d'imaginer un repas de fête sans vin ni fromage.

? Le Saviez-vous ?

Pour déguster un fromage dans les meilleures conditions, il ne faut pas le mettre au réfrigérateur. Il est généralement servi avec du pain et du vin rouge.

Les fromages doivent être conservés idéalement à une température de 8°C pour éviter les moisissures et le dessèchement. Le meilleur endroit est une cave ou le bas d'un réfrigérateur.

Une alimentation de qualité

Les labels

Les consommateurs sont de plus en plus attentifs aux produits qu'ils achètent, et les labels officiels sont perçus comme des preuves de qualité.

— Le label AB (agriculture biologique) garantit que les produits vendus sont composés d'au moins 95 % d'ingrédients d'origine agricole obtenus selon le mode de production biologique. Ils sont soumis au contrôle d'un organisme certificateur indépendant et officiel.

— Le label rouge est un label national, visible sur l'étiquetage, et qui certifie une qualité supérieure du produit mesuré.

— Le label AOC (appellation d'origine contrôlée) garantit un produit originaire d'un pays, d'une région ou d'un terroir, et dont la qualité ou les caractéristiques sont dues à son milieu géographique. L'AOC est essentiellement accordée aux vins, aux produits laitiers et aux fruits et légumes. En 2007, 545 produits étaient labellisés.

— Le label Max Havelaar (label de commerce équitable) garantit que le produit a été acheté à un prix correct aux producteurs et qu'il a été produit dans des conditions respectueuses des droits de l'homme et de l'environnement. En 2007, il était le seul label de commerce équitable alimentaire en France.

La semaine du goût

Pour répondre à l'uniformisation des habitudes alimentaires, les professionnels des métiers de bouche ont institué la semaine du goût, qui a lieu chaque année au mois d'octobre depuis 1990. Le but de cette initiative est d'inciter les jeunes générations à découvrir de nouvelles saveurs, à retrouver des aliments oubliés et le plaisir de s'alimenter sainement. La semaine du goût a également pour ambition d'informer la population sur l'importance d'une alimentation équilibrée, nécessaire pour prévenir certaines maladies et lutter contre l'augmentation inquiétante de l'obésité, particulièrement chez les enfants.

Pendant cette semaine, de nombreuses manifestations sont organisées dans les établissements scolaires, les restaurants, les usines, les grandes surfaces d'alimentation et sur les marchés.

+ Pour en savoir plus

En 1985, l'humoriste Coluche, révolté par l'extrême pauvreté et la misère de certains de ses concitoyens, décide de créer « les Restos du cœur » (Resto pour restaurant) avec un groupe d'artistes. Cette association, qui fait appel à la générosité de tous, a pour but de distribuer de la nourriture aux plus démunis. En 1988, le Parlement français vote à l'unanimité la « loi Coluche » : chaque personne faisant un don, même modeste, à une association, bénéficie d'une réduction d'impôt. En 2006, les Restos ont servi 75 millions de repas à plus de 670 000 personnes.

ET MAINTENANT À VOUS...

Répondez aux questions suivantes.

1. Comparez les trois principaux repas français à ceux de votre pays.
2. Où déjeunez-vous à midi, et de quoi est composé votre repas ?
3. Quel repas de fête préférez-vous et pourquoi ?

4. Trouvez trois arguments qui justifient « la semaine du goût ».
5. Comparez ce que l'on nomme « les bonnes manières à table » chez vous et en France.
6. Regardez les menus proposés et faites votre choix.

Répondez par vrai ou par faux.

1. La semaine du goût est réservée aux enfants qui n'ont pas de goût.
2. À midi, il est très à la mode de manger avec ses doigts.
3. Le soir, la famille se retrouve autour de la table familiale.
4. La cuisine traditionnelle française est remplacée par la cuisine exotique.
5. Chaque région a ses spécialités culinaires.

6. Tous les restaurants français proposent des plats d'escargots ou de grenouilles.
7. Le vin est toujours compris dans le prix du menu.
8. Les Restos du cœur sont réservés aux personnes qui ont des problèmes cardiaques.
9. Le label rouge est attribué à la viande de qualité.
10. La France et l'Italie sont les deux pays qui consomment le plus de vin en Europe.

La Santé

L'état de santé de la population française est globalement satisfaisant. La France est le pays de l'Union européenne qui a l'espérance de vie la plus longue (77,1 ans pour les hommes et 84 ans pour les femmes), mais des inégalités subsistent. Par exemple, on vit plus vieux dans le sud que dans le nord de la France.

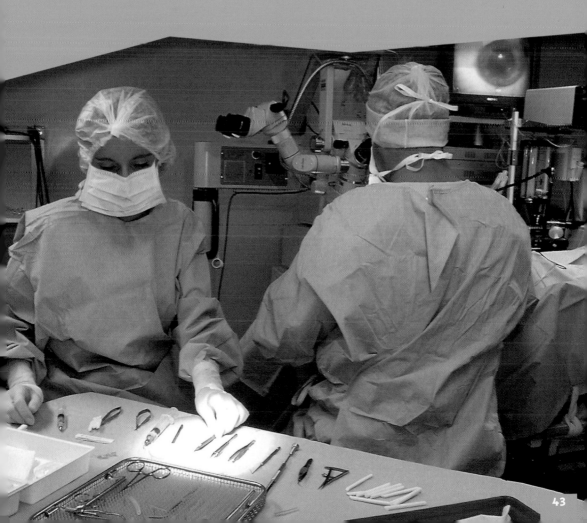

La médecine libérale

Les Français peuvent consulter les médecins de leur choix aussi souvent qu'ils le désirent. Pour prévenir les abus des patients et des professionnels, et réduire les dépenses de la Sécurité sociale, le gouvernement a dû imposer, avec quelques difficultés, des mesures de contrôle.

Le médecin traitant

Depuis 2005, chaque assuré social doit choisir un médecin, le plus souvent un généraliste, qu'il désigne à la Sécurité sociale comme médecin référent. Si cela est nécessaire, c'est lui qui oriente le patient vers un spécialiste, un hôpital public ou une clinique privée. Si ce parcours n'est pas respecté, les remboursements sont moins élevés. Il est toujours possible de changer de médecin traitant, et de consulter librement certains spécialistes comme les ophtalmologues, les gynécologues, les pédiatres et les psychiatres.
Le médecin prescrit des médicaments et rédige une ordonnance que le patient remet au pharmacien.

Les médicaments sont délivrés pour une durée maximum d'un mois. La mention OAR 3 mois sur l'ordonnance signifie : ordonnance à renouveler pour 3 mois.

Pour en savoir plus

En 2006, les Français ont dépensé 3 318 € pour leur santé par personne. Ce poste augmente régulièrement en raison des progrès de la médecine et du vieillissement de la population.

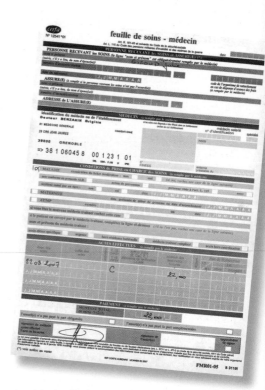

Grâce à la feuille de soin ou à la carte vitale, le patient est remboursé d'une partie de ses dépenses par la Caisse primaire d'assurance maladie.

? Le saviez-vous ?

Les pharmaciens peuvent remplacer le médicament prescrit par le médecin par un médicament générique moins cher, ayant les mêmes effets thérapeutiques.

Un thermomètre.

La carte vitale, carte d'assuré social à puce, a remplacé l'ancienne carte papier depuis 1999, elle contient seulement des informations d'ordre administratif nécessaires au remboursement (à la prise en charge) des soins. Elle simplifie les démarches et permet, quand on la remet aux différents intervenants, d'être remboursé plus rapidement de la consultation médicale, des frais pharmaceutiques ou d'autres soins prescrits. Une nouvelle carte vitale va bientôt remplacer l'actuelle, elle comportera la photo de l'assuré. Mais elle sera surtout plus sécurisée et sera dotée d'une plus grande capacité de mémoire.

+ Pour en savoir plus

■ Le système actuel de protection sociale date de 1945. La Sécurité sociale est financée par les cotisations versées par les employeurs et les salariés. Les Français sont très attachés à leur système de protection sociale, mais il est menacé par le déficit de la Sécurité sociale (huit milliards d'euros en 2007).

Une seringue.

? Le saviez-vous ?

■ Les médicaments sont conditionnés sous diverses formes, aussi avant de vous rendre à la pharmacie, assurez-vous que vous faites bien la différence entre un cachet, une pastille, une gélule, une ampoule, un flacon, un suppositoire ou un tube !

Le numéro de Sécurité sociale est le numéro d'identification de chaque citoyen. Il commence par le chiffre 1 pour les hommes et le chiffre 2 pour les femmes.

Ampoules (de verre) à casser aux deux extrémités.

Les médicaments sous forme de sirop se mesurent en cuillerées.

Tube d'aspirine contenant des comprimés effervescents.

Une répartition déséquilibrée des médecins

Les études médicales sont les plus longues des études supérieures, neuf ans pour la médecine généraliste et onze ans pour la médecine spécialisée. Depuis quelques années, on constate un déficit de médecins dans certaines régions comme le Centre ou la Bourgogne, et pour certaines spécialités comme la pédiatrie, l'ophtalmologie ou l'obstétrique. En 2005, 1 000 postes de médecins généralistes n'ont pas été pourvus, et on s'attend, dans les années à venir, à une pénurie de médecins dans les zones rurales et dans les banlieues des grandes villes.

L'opticien est un professionnel qui vend des lunettes ou des lentilles de contact sur prescription médicale d'un ophtalmologiste.

+ Pour en savoir plus

■ La France compte 3,5 médecins pour 1 000 habitants ainsi que 7,24 infirmières et 0,68 dentistes.

Les professions paramédicales

Ce terme regroupe des métiers très variés comme les infirmiers, les opticiens, les orthophonistes ou encore les kinésithérapeutes. Un quart de ces professionnels travaille dans le secteur privé. Ces professions sont exercées à 70 % par des femmes qui, pour nombre d'entre elles, travaillent à temps partiel.

Les professionnels membres de l'Union européenne peuvent pratiquer en France, à condition de maîtriser la langue française. Les ressortissants des autres pays doivent faire une demande auprès de la DRASS (Direction régionale des affaires sanitaires et sociales).

Des infirmières manifestent pour une amélioration de leurs conditions de travail et une revalorisation de leur salaire.

■ La médecine alternative

Le succès croissant des médecines dites douces tient sans doute à un certain rejet d'une médecine qui n'est pas toujours à l'écoute du patient.

L'homéopathie, l'acupuncture, la phytothérapie et l'hypnose par exemple, sont pratiquées dans certains hôpitaux.

Quatre Français sur dix disent consommer de temps en temps des médicaments homéopathiques parfois prescrits par des médecins, surtout des pédiatres, et en partie remboursés par la Sécurité sociale. La phytothérapie représente le tiers des ventes dans les pharmacies.

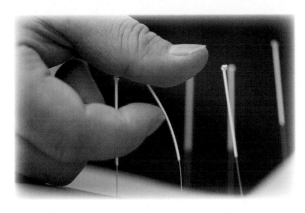

En France, l'acupuncture ne peut être pratiquée légalement que par un docteur en médecine.

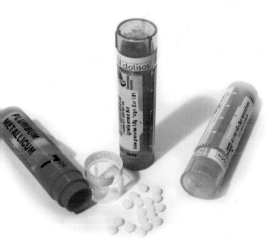

Les médicaments homéopathiques sont généralement présentés sous forme de granules.

La médecine hospitalière

Un patient devant être hospitalisé peut l'être dans un hôpital public ou dans une clinique privée. Les soins dispensés dans ces établissements sont généralement jugés de bonne qualité. Les cliniques sont souvent plus confortables, mais pour les maladies graves et pour les urgences, les patients choisissent de préférence l'hôpital.

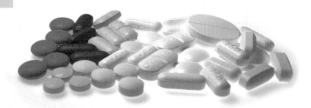

■ Hôpital public et clinique privée

L'hôpital a pour mission d'accueillir tous les patients 24 heures sur 24 et de manière non discriminatoire. En plus des soins et des interventions, il doit assurer les urgences médicales, le SAMU (Service d'Aide Médicale Urgente), la prévention et l'éducation pour la santé et enfin la formation du personnel hospitalier dans les CHU (centre hospitalier universitaire). Actuellement, la médecine hospitalière est en pleine restructuration. En effet, certaines régions à forte population manquent de lits d'hôpitaux, alors que des régions sous-peuplées ont des lits inoccupés. Le gouvernement souhaiterait fermer certains services pratiquant un nombre insuffisant d'actes médicaux, mais il se heurte au mécontentement de la population. En cas d'hospitalisation, le malade doit payer 16 € de forfait hospitalier par jour, non remboursable par la Sécurité sociale, pour les repas et la chambre. Certaines assurances complémentaires remboursent tout ou partie de ce forfait. Une hospitalisation dans une clinique privée qui a signé une convention avec l'État donne droit aux mêmes remboursements.

CHU
GRENOBLE

Le Service Mobile d'Urgence et de Réanimation (SMUR) dépend d'un établissement hospitalier public.

La médecine à vocation sociale

■ La médecine du travail

Tous les salariés doivent obligatoirement passer une visite médicale annuelle auprès de la médecine du travail, le coût étant pris en charge par l'employeur.

■ La protection maternelle et infantile (PMI)

En ville, les communes ont des centres de santé où l'on peut rencontrer des médecins et faire vacciner gratuitement les enfants.

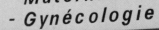

AMBULANCE

Urgences
- Maternité
- Gynécologie

◼ La médecine scolaire

Les collèges et lycées ont une infirmière en permanence ou à temps partiel dans l'établissement. Les enfants passent régulièrement une visite médicale auprès des services de médecine préventive qui pratiquent également les vaccinations obligatoires. Les infirmières scolaires ont la possibilité de délivrer aux élèves des collèges et lycées, même si elles sont mineures, la pilule du lendemain qui est un contraceptif d'urgence agissant dans les trois jours suivant un rapport sexuel.

◼ La médecine préventive à l'université

La Sécurité sociale est obligatoire dès l'âge de 20 ans (avant il est possible de bénéficier de celle des parents). À l'université, elle est gérée par les mutuelles étudiantes (Sécurité sociale des étudiants) qui proposent aussi une assurance complémentaire facultative. Le service universitaire de médecine préventive est un service médical gratuit destiné à tous les étudiants. Il peut aussi apporter un soutien psychologique. Les étudiants nouvellement inscrits reçoivent une convocation pour passer une visite médicale afin de faire un bilan de santé et le point sur leurs vaccinations.

Le saviez-vous ?

◼ Les Français sont les plus gros consommateurs de médicaments d'Europe et les champions du monde de consommation de psychotropes.
◼ Les membres de l'Union européenne peuvent se faire soigner dans le pays de l'UE de leur choix. Ils ont la possibilité d'avoir une carte de Sécurité sociale européenne.

Le don de sang est gratuit et ne peut être rémunéré sous quelque forme que ce soit. L'anonymat du donneur est toujours respecté.

L'Établissement français du sang est un établissement public qui dépend du ministère de la Santé. Il collecte et distribue le sang sur le territoire national.

■ La couverture maladie

On estime à six millions le nombre de personnes qui ne se soignent pas correctement par manque d'argent. En effet, certaines prescriptions comme les lunettes, les soins dentaires mais aussi quelques médicaments sont assez mal remboursés par la Sécurité sociale.

Pour remédier à ce problème, le gouvernement a institué la couverture maladie universelle (CMU) qui permet à tous les démunis de recevoir des soins gratuits. En 2005, 4 800 000 personnes ont bénéficié de la CMU.

La croix verte représente les pharmaciens depuis 1982.

? Le saviez-vous ?

■ Si une victime d'un accident du travail doit être hospitalisée, elle sera exonérée du forfait hospitalier. Il en est de même pour les bénéficiaires de la CMU.

■ Pour toutes les urgences, vous devez composer le 15 (le SAMU) ou le 112 (numéro valable dans l'Union européenne) où un professionnel de la santé jugera de la gravité de votre cas et vous proposera une aide adaptée.

Une plaquette de comp

ET MAINTENANT À VOUS...

Répondez par vrai ou par faux.

1. Toute la famille doit consulter le même médecin référent.
2. La Sécurité sociale rembourse la totalité des frais médicaux.
3. L'hôpital ne ferme jamais.
4. Les hôpitaux sont chargés de la formation des étudiants en médecine.
5. La médecine du travail est gratuite.
6. La couverture maladie universelle est réservée aux personnes sans domicile.
7. Un médecin ayant un diplôme étranger ne peut pas travailler en France.
8. Les pharmaciens peuvent remplacer un médicament prescrit par un médecin par un médicament plus cher mais plus efficace.
9. Les ressortissants européens peuvent venir se faire soigner en France.
10. La France manque de médecins dans certaines régions.

Les Loisirs

*L'*accroissement du temps libre, conséquence directe de la législation du travail et de l'allongement de l'espérance de vie, a modifié les habitudes des Français en matière de loisirs.

Le loisir, s'il permet de faire ce que l'on aime à son rythme, n'est pas synonyme d'oisiveté : on pratique par exemple le jardinage, le bricolage ou différentes activités culturelles (danse, musique, peinture, théâtre).

Le sport

L'accroissement de la pratique du sport est une conséquence de l'attention que l'homme d'aujourd'hui porte à son corps et à son équilibre. Le sport est considéré par les Français comme un loisir plutôt que comme un moyen de compétition, la détente est plus importante que la performance.

C'est l'occasion de se rencontrer en famille, entre amis, autour d'une passion commune. Les sports de plein air se sont beaucoup développés ces dernières années, en particulier la pratique de la randonnée à pied ou à vélo. Les enfants, influencés par les médias et l'image des grands champions qu'ils véhiculent portent un regard nouveau sur le sport.

Le cyclisme

Le cyclisme est le sport le plus pratiqué juste devant la randonnée pédestre. L'équipement est considérable : 68 % des Français possèdent un vélo, la moyenne est de deux par foyer. L'usage est avant tout orienté vers les loisirs : balade et sport. 14 % des Français seulement l'utilisent occasionnellement pour aller travailler.

Le tour de France cycliste est un événement sportif international très populaire. Il se déroule chaque année au mois de juillet, les cyclistes effectuent un circuit d'environ 3 000 km. Certains spectateurs n'hésitent pas à attendre plusieurs jours au bord des routes pour voir passer très vite leur équipe favorite et le premier du classement général, qui porte un maillot jaune. Une vingtaine de villes étapes hébergent les cyclistes, la caravane publicitaire et de nombreux touristes. Pour ces villes, le tour représente un apport financier important. La grande boucle se termine traditionnellement à Paris sur les Champs-Élysées.

La randonnée pédestre

La marche est une activité qui rencontre un grand succès depuis quelques années ; sans doute à cause d'un intérêt croissant pour la nature (flore, faune, paysages) et du développement d'un tourisme vert. C'est un sport qui se pratique individuellement, en famille ou en groupe, et qui séduit les seniors.

Les marcheurs, selon les lieux et leurs moyens, font étape dans des refuges, des gîtes, ou des chambres d'hôtes.

6 000 baliseurs bénévoles, adhérents de la Fédération française de la randonnée pédestre, entretiennent un réseau de 180 000 km de sentiers.

+ Pour en savoir plus

■ Essentiel pour tout voyageur à pied, le balisage : deux traits rouge et blanc pour les GR (itinéraires de grandes randonnées). Le réseau des chemins compte près de 180 000 km et a des ramifications dans les pays voisins. On peut ainsi, en suivant le GR5, partir de Nice et arriver à Amsterdam, ou partir de Genève pour se rendre à Saint-Jacques-de-Compostelle en empruntant le GR 65.

■ Le football

Le foot est à la fois un sport et un spectacle. 200 000 supporters (90 % sont des hommes) se déplacent chaque semaine pour assister aux rencontres du championnat de France. Les grandes compétitions, relayées par les médias, sont des temps forts de la vie collective.
C'est la fédération de football qui compte le plus grand nombre de licenciés (plus de 2 millions).

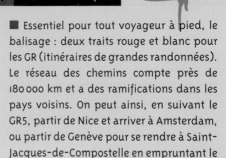

■ Le rugby

Alors que le football est présent sur l'ensemble du territoire français, le rugby est essentiellement pratiqué au sud d'une ligne La Rochelle - Bourg-en-Bresse, avec une plus forte concentration dans le Sud-Ouest. L'audience du rugby à la télévision est comparable à celle du football, ce qui est remarquable dans la mesure où le rugby compte huit fois moins de licenciés que le football.

Un comité permanent veille au respect des mesures que définit la Convention européenne sur la violence et les débordements de spectateurs lors de manifestations sportives.

Les jeux de boules

Le jeu de boules est un sport très populaire et très ancien. Il y a différentes sortes de jeux, la Lyonnaise et la pétanque sont les plus répandus et sont tous deux considérés comme des sports. La pétanque occupe la sixième place en France par le nombre de ses licenciés.

Jouer aux boules est à la portée de tout le monde, et les parties de pétanque animent les places des villages les soirs d'été.

? Le saviez-vous ?

La France compte 1,2 million de piscines privées, c'est un des pays les plus équipés au monde et le premier en Europe devant l'Espagne.

Une boule de pétanque pèse entre 650 et 800 grammes.

Les sports d'hiver

Les sports d'hiver concernent les catégories sociales les plus aisées, seulement 8 % des Français peuvent les pratiquer, et essentiellement les moins de 45 ans. Le ski alpin et le surf arrivent en tête des activités. Si le ski de fond est en baisse, la pratique de la raquette, peu coûteuse et ne nécessitant pas une condition physique exceptionnelle, séduit de plus en plus de vacanciers.

Les stations des Alpes sont les plus recherchées pour l'étendue des domaines skiables et l'altitude, mais certains délaissent les « usines à neige » au profit de stations plus modestes à l'ambiance plus familiale. On skie dans les Pyrénées, le Jura, les Vosges et même en Corse.

Les couleurs du balisage des pistes de ski correspondent à un degré de difficulté. Vert : facile, bleu : moyen, rouge : difficile, et noir : très difficile.

La culture

Un ministère chargé des questions culturelles a été créé en 1959. Aujourd'hui ce ministère, à travers une politique active de subvention, témoigne de l'intérêt national pour la culture.

■ Les manifestations culturelles

Les journées du patrimoine, la semaine de la science, Lire en fête ou Le Printemps des poètes remportent chaque année un vif succès. Ces grands rendez-vous témoignent de l'intérêt du public pour les événements culturels.

● Les journées du patrimoine ont été créées en 1984 par le ministère de la Culture. Elles ont lieu, tous les ans, le troisième week-end de septembre. À cette occasion, on peut visiter gratuitement des lieux très divers souvent fermés au public : chefs-d'œuvre de l'architecture civile ou religieuse, parcs, jardins, sites archéologiques, ouvrages fluviaux ou militaires, etc. Ces journées enregistrent chaque année plus de 12 millions de visiteurs.

+ Pour en savoir plus

■ Les cafés des sciences sont l'occasion de réunir le public et des scientifiques autour d'un verre pour partager leur expérience et leur savoir dans une atmosphère conviviale.
Il existe également des cafés littéraires, philosophiques, sociologiques, etc.

● Depuis plus de 15 ans, pendant la fête de la science, les sites du savoir scientifique et technologique ouvrent grand leurs portes. Les musées, les bibliothèques, les universités, les salles de spectacles, les mairies, les préfectures, les entreprises s'associent pour faire découvrir des domaines aussi différents que l'ethnologie, les mathématiques, la gastronomie ou la musique. Ces partenaires et acteurs de la culture scientifique se mettent à la disposition du public pour communiquer leur enthousiasme et susciter des vocations chez les jeunes.

D'abord château médiéval puis palais du roi de France, le musée du Louvre, fondé par la République française en 1793, est l'un des plus anciens musées et le troisième plus grand au monde par sa superficie.

● Depuis 1989, date de sa création, Lire en fête célèbre, en octobre, le livre, la lecture et la création littéraire.

Lire en fête éveille les curiosités et sensibilise à la lecture des publics qui en sont éloignés, à travers des promenades littéraires, des spectacles de rue, des lectures à voix hautes.

28
juin
13
juillet
07

● Le Printemps des Poètes est une manifestation nationale qui, depuis 1999, fait découvrir ou redécouvrir la poésie et les poètes.

À cette occasion, par exemple, la SNCF (Société nationale des chemins de fer français) propose une sélection de textes choisis par les cheminots ou des internautes. La poste édite des cartes postales poèmes, les sociétés de transports en commun organisent des concours de poésies, et les poèmes retenus sont ensuite diffusés sur les réseaux.

? Le saviez-vous ?

■ Les livres qui figurent au palmarès des prix littéraires sont des succès de librairie. Le prix Goncourt, créé en 1903, récompense chaque année un ouvrage en prose.

Le jury du prix Femina est composé uniquement de femmes.

Le prix du Livre Inter, attribué par France-Inter, station de radio du service public, est décerné par un jury d'auditeurs soigneusement sélectionné.

■ Les festivals

Les festivals sont les événements culturels des régions et attirent de nombreux touristes pendant la période estivale. Le festival d'Avignon réunit depuis plus de 60 ans les amateurs de théâtre, l'art lyrique est à l'honneur à Orange, et le jazz à Vienne ou à Marciac.

■ Les activités culturelles

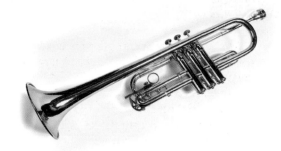

Depuis vingt-cinq ans, toutes les générations et toutes les catégories sociales confondues ont connu un accroissement des activités artistiques: plus d'un tiers des Français de plus de 15 ans font de la peinture, du dessin, de l'artisanat d'art, jouent d'un instrument de musique, chantent, dansent ou font du théâtre en amateur.

Une maison des jeunes et de la culture (MJC) est une association dont la vocation est de permettre à tous d'accéder aux loisirs, à l'éducation et à la culture. Les MJC sont ouvertes à tous les publics, les jeunes mais aussi les enfants et les adultes. Elles proposent une gamme complète d'activités et de services répondant aux attentes des habitants. On peut y prendre des cours de langue, participer à des ateliers de théâtre, de philatélie, apprendre à jouer d'un instrument, à jardiner ou s'initier à un sport.

La musique occupe une place croissante dans la société et les médias. Le chant choral est devenu un véritable phénomène de mode ces dernières années grâce au succès considérable du film de Christophe Barratier intitulé *Les choristes*. Les émissions de télé-réalité axées sur la chanson comme *La Star Académy* ou *La Nouvelle Star* amplifient encore le phénomène.

Il y a entre 5 et 6 millions de musiciens amateurs en France.

■ Les lieux culturels

La fréquentation des lieux culturels (théâtre, opéra, cinéma, salles de concert, etc.) est fortement liée au niveau d'instruction. Les maisons de la culture, créées au début des années 1960 à l'initiative d'André Malraux, alors ministre des Affaires culturelles, ont pour objectif de rendre l'art accessible au plus grand nombre. Ce sont actuellement des salles de spectacles qui favorisent la création artistique.

Les bibliothèques sont aujourd'hui les équipements culturels les plus fréquentés et sont considérées comme un lieu fondamental d'intégration sociale. Les bibliothèques municipales s'efforcent de conquérir de nouveaux publics en multipliant les actions (salons du livre, ateliers d'écriture, rencontres d'auteurs) et les partenariats (services sociaux, maison de retraite, établissements pénitentiaires).

■ Le cinéma

La France, qui a inventé le cinématographe en 1895, reste très dynamique dans ce secteur, et la production cinématographique française est la première en Europe. C'est certainement dû au talent des réalisateurs mais également au système de financement et d'aide au cinéma. En effet, le CNC (Centre national de la cinématographie) prélève un petit pourcentage sur chaque billet vendu et peut, grâce à cet argent, apporter des aides à l'écriture, la création, la diffusion d'œuvres d'expression française. Cette spécificité est désignée par le terme d'exception culturelle française et concerne d'autres secteurs comme le théâtre par exemple.

Le palais Garnier est le plus grand théâtre d'opéra et de ballet d'Europe.

L'opéra de Lyon est un bâtiment du XIXᵉ siècle transformé et aménagé par l'architecte Jean Nouvel.

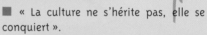
Pour en savoir plus

■ « La culture ne s'hérite pas, elle se conquiert ».
André Malraux (écrivain et homme politique).

Depuis quelques années la fréquentation des salles de cinéma est en hausse en partie grâce à la construction de salles plus grandes, à l'amélioration de l'accueil, à la mise en place de tarifs préférentiels et à des manifestations comme La fête du cinéma ou Le printemps du cinéma : au mois de mars et au mois de juin, pendant trois jours, les spectateurs sont invités à vivre le cinéma dans toute sa diversité (reprises, festivals, rétrospectives, etc.) à des tarifs préférentiels. Malgré tout, les Français regardent plus de films chez eux que dans les salles.

+ Pour en savoir plus

■ En 1946, à Cannes, s'est ouvert le Festival international du film. Depuis 1951 il a lieu en mai, et un jury évalue les longs et les courts-métrages. La récompense suprême, décernée au réalisateur du meilleur long-métrage, est la Palme d'or qui fait référence aux armoiries de la ville.

? Le saviez-vous ?

■ Le cinéma est un loisir hivernal et de week-end. Il y a peu de spectateurs le mardi car le mercredi est le jour de sortie des nouveaux films.

■ Les musées de France

1 299 musées, dont 34 musées nationaux répartis sur tout le territoire, exposent les richesses culturelles et artistiques de la France. Ces musées répondent à des critères culturels et scientifiques précis et peuvent bénéficier depuis 2002 de l'appellation Musées de France (label clairement identifiable par le public).

Le Louvre, Versailles et Orsay, qui sont des musées parisiens, sont les plus visités.

Le centre national d'art et de culture George Pompidou (ou centre Beaubourg) est une institution créée en 1977 et vouée à la création moderne et contemporaine.

? Le saviez-vous ?

■ Les personnes mineures peuvent entrer gratuitement dans les musées de France et accéder ainsi librement aux collections permanentes.

■ L'accès à certains musées est totalement ou partiellement gratuit (un jour par mois ou par semaine).

+ Pour en savoir plus

■ C'est à partir des collections royales et des biens confisqués au clergé et aux émigrés après la Révolution, que le Muséum central des Arts a été créé en 1793 au Louvre.

Les jeux

Des jeux de société aux jeux d'argent, en passant par les jeux vidéo et les jeux télévisés, les Français rêvent leur vie.

Les jeux de société permettent de partager des moments de convivialité en famille ou entre amis. Les jeunes se créent des univers à travers les jeux vidéos. Beaucoup de personnes espèrent changer de vie en jouant au Loto, au PMU (pari sur les courses de chevaux), aux jeux instantanés dits de grattage ou en participant aux émissions de jeux télévisés comme *Qui veut gagner des millions ?*

Près de 40 000 points de vente, bureaux de tabac, bars-tabac diffuseurs de presse, proposent des jeux de grattage.

Le bricolage et le jardinage

Le bricolage est à la fois une nécessité économique et une source de plaisir. Faire des choses soi-même, construire des meubles, améliorer la décoration de sa maison, faire de petites ou de grandes réparations : 70 % des hommes et des femmes bricolent en France. S'ils possèdent un jardin, les Français passent beaucoup de temps à faire du jardinage :

tondre le gazon, planter des fleurs et cultiver des légumes dans un potager.

Les vacances

Les Français détiennent le record du monde des congés, soit près de sept semaines (cinq semaines de congés annuels auxquels s'ajoutent dix jours fériés pour les salariés). Tous cependant ne partent pas en vacances. Bien que les écarts se réduisent, il reste encore de grandes disparités en fonction des catégories sociales. Près de 90 % des cadres et des professions libérales partent en vacances contre seulement 9 % des agriculteurs. Les jeunes de moins de 25 ans partent plus souvent que leurs aînés et sont plus attirés par les destinations étrangères. Les citadins sont plus nombreux à partir que les ruraux.

La dune du Pilat est la plus haute dune d'Europe (107 m). Située à 60 km de Bordeaux, elle est un point de départ pour les amateurs de delta plane.

L'accès aux plages est réglementé par un arrêté municipal. Le maire est seul habilité à y autoriser ou interdire les chiens.

■ Les destinations

Les Français aiment partir… en France. 90 % restent en France métropolitaine, et l'hébergement gratuit est la première motivation pour choisir son lieu de vacances (famille, résidence secondaire). Leurs vacances préférées se déroulent toujours à la mer. Même si les régions du sud restent les plus fréquentées par les vacanciers, les Français boudent les plages méditerranéennes au profit d'autres régions moins chères et plus accueillantes.

L'élargissement de la zone euro et les vols à bas coûts contribuent à développer les voyages à l'étranger. L'Espagne et l'Italie arrivent en tête des destinations. Hors d'Europe, le Maroc et la Tunisie sont les premiers choix.

En été, les touristes et les habitants de l'agglomération parisienne qui ne partent pas en vacances peuvent se détendre sur les berges de la Seine. En effet, grâce à l'opération Paris Plage, la capitale prend des allures de station balnéaire. Les voies sur berge sont aménagées pour offrir aux visiteurs des espaces de loisirs (plages de sable, palmiers, pelouses, piscines flottantes, etc.).

Sur les trois sites de Paris Plage, plus de 300 chaises longues, 240 parasols, 68 palmiers et 2 000 tonnes de sable attendent les visiteurs.

? Le saviez-vous ?

▣ Les instituts de thalassothérapie sont en continuel développement et sont fréquentés à 70 % par des femmes qui veulent mincir, combattre le stress et le surmenage.
Avec une cinquantaine d'établissements, la France est un leader mondial dans ce domaine.

+ Pour en savoir plus

▣ 40 % des clients des agences de voyage sont des voyageurs du troisième âge.
Un Français sur six n'est jamais parti en vacances.
La première quinzaine d'août concentre le plus grand nombre de départs en vacances.
La France est la première destination touristique mondiale (78 millions de visiteurs en 2005).

ET MAINTENANT À VOUS...

Répondez par vrai ou par faux.

1. Un Français sur six n'est jamais parti en vacances.
2. Le rugby est un sport très peu médiatique.
3. Les GR sont symbolisés par deux traits rouges.
4. Le prix Femina récompense un auteur de sexe féminin.
5. Le festival d'Avignon est un festival de musique classique.
6. La majorité des vacanciers partent en juillet.
7. Un tiers des Français va aux sports d'hiver.
8. La randonnée pédestre est le sport le plus pratiqué.
9. L'Italie est la destination étrangère préférée des Français.
10. L'entrée de certains musées est gratuite pour les mineurs.

Les Médias

L' un des premiers périodiques, *La Gazette*, voit le jour
en France en 1631. C'est aussi en France que la première
agence d'information fut imaginée par Charles Louis Havas
en 1835.
C'est un pays où les médias sont plus qu'ailleurs liés à
l'histoire politique (des centaines de quotidiens ont vu le
jour à Paris pendant la Révolution française).

La presse

On appelle parfois la presse écrite le quatrième pouvoir. Son rôle est, bien sûr, d'informer, mais aussi d'observer de manière critique les trois autres pouvoirs : le pouvoir législatif (le parlement), le pouvoir exécutif (le gouvernement) et le pouvoir judiciaire (les tribunaux). Ce rôle d'observateur critique de la presse est d'autant plus grand en France que l'État est très présent dans les affaires publiques.

La presse quotidienne

En France, on compte aujourd'hui 81 quotidiens : une dizaine de quotidiens nationaux d'information politique et générale, une dizaine spécialisés en économie, en sport, etc., et un peu plus d'une soixantaine de quotidiens départementaux ou régionaux.

C'est un quotidien sportif, *l'Équipe*, qui arrive en tête des ventes. *Le Monde*, qui est un grand journal d'information, n'arrive qu'en troisième position derrière *Aujourd'hui en France*. *Le Figaro* a moins de lecteurs que *Le Parisien*, journal régional distribué sur Paris et sa proche banlieue.

La proportion d'acheteurs est de 149 pour 1 000 habitants, alors qu'elle est de 582 pour 1 000 en Norvège ou de 376 pour 1 000 en Suisse.

En 2002, le lancement de journaux gratuits financés par la publicité et distribués dans les transports en commun, les centres commerciaux ou les lieux publics a été un vrai succès, et les Français les considèrent désormais comme des journaux à part entière.

? Le savez-vous ?

La question de la liberté d'expression a été abordée dès le XVIIIe siècle par les philosophes des Lumières, et le premier code de déontologie des journalistes est né à Paris en 1918, après la Première Guerre mondiale.

■ Les magazines

Les Français détiennent le record mondial de la lecture de magazines.

Les femmes sont de grandes lectrices de magazines, et de nombreux titres visent un public féminin. *Version Femina* et *Femme actuelle* arrivent en tête des ventes des hebdomadaires, mais ce sont les magazines de télévision qui rassemblent le plus de lecteurs. *Paris-Match*, le magazine d'actualité le plus vendu, n'arrive qu'en neuvième position.

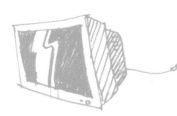

150 € sont dépensés par foyer et par an pour l'achat de magazines.

La télévision

D'une manière générale, les Français ne sont pas très satisfaits de leur télévision. Ils trouvent les programmes culturellement pauvres, les informations peu fiables et la publicité envahissante.

Il y a en France huit grandes chaînes de télévision. Cinq d'entres elles appartiennent au service public : France 2, France 3, France 4, France 5 (chaîne à vocation éducative) et ARTE (chaîne culturelle franco-allemande). Trois appartiennent au secteur privé : TF1, Canal + et M6.

L'année 2006 a vu naître France 24, chaîne française d'information internationale. TV5 et Canal France international sont les deux opérateurs de l'action audiovisuelle extérieure à la France.

+ Pour en savoir plus

La redevance est une taxe annuelle qui sert à financer les chaînes publiques de télévision. La possession d'un poste de télévision entraîne automatiquement le paiement de cette taxe. En 2007 elle s'élevait à 116,50 €.

? Le saviez-vous ?

Canal + est une chaîne à péage qui émet en clair à certaines heures de la journée. Elle est essentiellement consacrée au cinéma et au sport.

Une équipe de télévision en tournage.

Alors que tous, ou presque, y ont accès, seul un quart des Français est prêt à payer l'abonnement qui permet de disposer de 200 chaînes grâce au câble ou au satellite ; c'est beaucoup moins que chez leurs voisins belges, allemands et anglais.

Depuis mars 2005 on peut accéder à la TNT (télévision numérique terrestre) à condition d'avoir un équipement adapté.

La radio

Les Français écoutent presque autant la radio qu'ils regardent la télévision (environ trois heures par jour contre trois heures et demie pour la télévision). Ils l'écoutent beaucoup le matin entre sept heures et neuf heures. Les stations généralistes qui recueillent le plus d'audience sont RTL et France Inter pour les programmes généralistes et NRJ et Nostalgie pour les programmes musicaux.

Radio France est une société de service public qui gère les stations de radio publique en France dont, entre autres, France inter, station généraliste, France info, radio d'information en continue, France culture, station du savoir et de la culture, France musique qui diffuse essentiellement du jazz et de la musique classique.

Radio France Internationale (RFI) émet 24 heures sur 24 et diffuse partout dans le monde en français et en 19 autres langues. Avec 45 millions d'auditeurs, c'est la troisième station de radio internationale la plus écoutée au monde.

Studio d'enregistrement.

ET MAINTENANT À VOUS...

Répondez par vrai ou par faux.

1. La radio est un monopole d'État.
2. *Le Monde* est le quotidien qui a le plus grand tirage.
3. La redevance est une taxe destinée à financer la télévision publique.
4. Les Français sont de grands lecteurs de magazines.
5. La loi encourage la diffusion, à la radio, d'œuvres musicales francophones.
6. Le premier périodique français apparaît après la révolution de 1789.
7. Le premier code de déontologie des journalistes a été créé après la Seconde Guerre mondiale.
8. ARTE est une chaîne de télévision allemande.
9. La distribution gratuite de journaux est interdite.
10. Canal + est une chaîne musicale gratuite.

L'Argent

Pour les Français, l'argent est avant tout synonyme de sécurité et de liberté. Il n'est un symbole de réussite sociale que pour une minorité (environ 10 %).

Les Français sont soucieux d'épargner, mais ils sont également devenus plus épicuriens. L'argent est désormais davantage un instrument d'autonomie et de plaisir que de puissance.

L'image de l'argent | L'euro

■ L'argent et la culture

Par tradition judéo-chrétienne, la culture française a un rapport particulier à l'argent. Ce dernier n'est pas un sujet réellement tabou, cependant il n'est pas de bon ton, au cours d'une conversation, de parler de ses revenus, de mentionner la valeur ou le prix des choses.

Même si la France ne compte plus que 3,5 % d'agriculteurs, le pays reste marqué par la culture paysanne (on ne parlait pas de son argent pour ne pas se le faire voler). Le catholicisme, qui était à l'origine la religion des pauvres, influence aussi le rapport des Français à l'argent, tout comme le marxisme : pour une partie de la gauche française, le profit reste assez négatif.

■ L'argent et les mentalités

Cependant, le rapport des Français à l'argent évolue : plus de deux salariés sur trois ont révélé leur salaire à leurs collègues de travail, 30 % des femmes qui vivent avec un homme gagnent autant sinon plus que lui sans que cela pose de problème majeur, et un couple sur trois fait compte à part.

Il n'est donc pas honteux de gagner de l'argent, c'est même légitime, mais les Français, conscients des inégalités économiques, sont parfois choqués par les revenus de certaines personnalités du monde du sport, de l'art, de la politique ou de l'industrie.

L'argent facile est suspect, d'autant plus que, depuis quelques années, des affaires de corruption impliquant des personnalités ont été mises à jour dans différents domaines.

La zone euro correspond à treize des vingt-sept États de l'Union européenne. Les pièces de monnaie des treize pays possèdent une face commune et une face nationale. Quel que soit leur pays d'origine, les pièces ont cours légal dans toute la zone euro (Allemagne, Autriche, Belgique, Espagne, Finlande, France, Grèce, Irlande, Italie, Luxembourg, Pays-Bas, Portugal et Finlande). La monnaie unique a également un cours légal à Monaco, San Marin, au Vatican, en Andorre, au Monténégro et au Kosovo.

Le Danemark, la Suède et le Royaume-Uni ont pour l'instant décidé de rester en dehors de la zone euro.

? Le saviez-vous ?

■ Les enfants apprennent plus tôt qu'avant à gérer leur argent de poche, 20 % d'entre eux reçoivent environ 8 € par mois.

Il est possible de retirer des espèces dans les distributeurs automatiques de toutes les banques. Pour éviter des frais bancaires, il vaut mieux en retirer dans sa propre banque.

Les neuf autres États entrés dans l'Union en 2004 (Chypre, Malte, l'Estonie, la Hongrie, la Lettonie, la Lituanie, la Pologne, la République tchèque et la Slovaquie), ainsi que la Roumanie et la Bulgarie entrées le 1er janvier 2007, doivent encore satisfaire à certains critères économiques pour adhérer à la zone euro.

Une tirelire

Les ressources des ménages

■ Les revenus

Le revenu (étymologiquement, ce qui revient à quelqu'un) est constitué non seulement de la rémunération du travail mais aussi du revenu du patrimoine et des prestations sociales. Celles-ci (allocations familiales, indemnités de chômage, d'accident, etc.) représentent plus du tiers du revenu des Français. Pour connaître les ressources réelles des ménages, il faut déduire de toutes ces rentrées d'argent l'impôt sur le revenu, l'impôt foncier et les cotisations sociales.

NOTAIRES ASSOCIES

Le notaire est un officier public qui exerce à titre libéral. Une de ses tâches consiste à authentifier les actes et les contrats (mariage, successions, ventes, etc.).

■ Le patrimoine

Le taux d'épargne des Français est le plus élevé d'Europe, et neuf ménages sur dix possèdent un patrimoine financier. Ce patrimoine est cependant inférieur au patrimoine immobilier, les logements représentant la moitié des biens légués. Dans ce domaine, les inégalités entre les catégories sociales sont particulièrement visibles. Le montant des héritages reçus par les enfants d'ouvrier est trois fois moins élevé que celui des enfants d'agriculteur et cinq fois moins que celui des cadres supérieurs. On assiste ainsi à un phénomène de concentration du patrimoine : 10 % des ménages possèdent la moitié de la richesse totale, et 90 % des Français estiment qu'il est difficile aujourd'hui de se constituer un patrimoine.

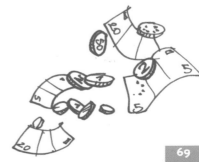

Les impôts

■ L'impôt direct

L'impôt sur le revenu, impôt direct, est le plus faible d'Europe. Le seuil de non-imposition est très élevé, et près de la moitié des foyers fiscaux ne paye pas d'impôt sur le revenu. Il n'est pas prélevé à la source, mais fait l'objet d'une déclaration. Les contrôles fiscaux permettent à l'administration d'en vérifier l'exactitude.

■ L'impôt indirect

Les impôts indirects sont, quant à eux, très élevés. Ainsi, les Français reversent près de la moitié de leurs revenus sous des formes diverses : taxe professionnelle, taxe d'habitation, taxe foncière, TVA (taxe à la valeur ajoutée), etc. Le montant de la TVA est pour de nombreux services et produits de 19,6 %. Une TVA à 5,5 % est appliquée pour les produits alimentaires de première nécessité et pour les biens culturels comme les livres.

L'expatriation fiscale consiste, pour une personne ou une entreprise, à changer légalement de résidence fiscale afin d'être moins soumis à l'impôt. Un certain nombre de grosses fortunes françaises ont choisi d'être résidents en Suisse, en Belgique ou au Royaume-Uni en fonction du régime fiscal et des conditions d'accueil.

? Le saviez-vous ?

■ Un certain pourcentage de Français considère que certaines pratiques illégales ne sont pas totalement condamnables. En voici quelques exemples : frauder en travaillant au noir, tricher sur les notes de frais, frauder le fisc en ne payant pas la redevance pour la télévision, faire sauter des contraventions, ne pas payer dans les transports en commun.

+ Pour en savoir plus

Le pourboire est une somme d'argent (en général de pièces de monnaie) remise à titre de récompense par le client à un travailleur salarié. Il n'est jamais obligatoire, mais l'usage est de laisser un pourboire au chauffeur de taxi, au coiffeur, au serveur, au guide touristique, etc. Il ne faut pas le confondre avec le service qui doit être compris dans le prix affiché.

La banque de France a été créée en 1800 par Napoléon.

Le pouvoir d'achat

Pendant la période des Trente Glorieuses (c'est ainsi qu'on appelle les trente années de croissance économique qui ont suivi la Seconde Guerre mondiale), la majorité des Français se sont plus enrichis que pendant tout le siècle précédent, alors que la durée moyenne annuelle du travail diminuait. Entre 1970 et 1990, le pouvoir d'achat des ménages a progressé de 60 %. Depuis 1991, la croissance se poursuit mais à un rythme plus faible.

Cette croissance n'a pas pour autant gommé les inégalités. On estime le seuil de pauvreté à environ 650 € par mois pour une personne seule, à 980 € pour un couple sans enfant et à 1 360 € pour un couple avec deux jeunes enfants.

La France n'arrive qu'en onzième place dans le classement des pays les plus riches.

Les Français sont un peu plus d'un quart à ne pas acheter de fruits en raison de leur prix élevé.

+ Pour en savoir plus

☐ Il est inhabituel de discuter les prix dans les magasins, en revanche il est possible, voire courant, de marchander dans les brocantes, les marchés aux puces, les vide greniers.

Il est fréquent de repérer les articles qu'on souhaite acheter avant la ruée vers les soldes.

Le budget des ménages

La part du budget consacrée au logement est la plus importante. Viennent ensuite les dépenses d'alimentation, de transports et de communication. Les dépenses pour les services médicaux et de santé représentent 12 % du budget. L'habillement constitue le poste de dépense le moins important.

Bien entendu, la répartition du budget n'est pas la même pour tous les ménages : elle varie en fonction de la catégorie sociale, de la composition des ménages et du lieu d'habitation.

En effet, les ouvriers dépensent plus d'argent pour l'alimentation que les classes moyennes, les célibataires consacrent une part importante de leur budget aux loisirs, à la culture et à l'achat de vêtements ; quant aux Parisiens, ils dépensent deux fois plus pour leurs sorties que les provinciaux, les salaires étant plus élevés à Paris qu'en province.

L'Euro comporte sept coupures (5, 10, 20, 50, 100, 200 et 500 euros). La contre-façon concerne essentiellement les coupures de 20 €.

Les jeux d'argent

Depuis Napoléon, les jeux d'argent sont théoriquement interdits en France. En réalité, l'État en détient le monopole, qui est géré par la Française des jeux, et peut accorder des dérogations à des entreprises privées comme les casinos.

Les Français jouent, l'État gagne ! Les deux tiers des Français jouent au moins une fois par an à des jeux d'argent. Ils ont à leur disposition une quinzaine de jeux dont le Tiercé et le Quinté qui consistent à parier sur des courses de chevaux. Les jeux d'argent ont pris une dimension internationale avec leur mise en ligne par la Française des Jeux. On peut désormais cocher ses grilles de Loto, Super Loto et Euro Millions sur un site Internet.

Tous ces jeux liés à l'argent sont réservés aux joueurs de plus de dix-huit ans.

Pour empocher la super cagnotte, il faut cocher les bonnes cases sur la grille du Loto !

? Le saviez-vous ?

■ On parle d'argent liquide pour désigner les espèces, l'argent qu'on dépense trop facilement coule entre les doigts, On peut également verser de l'argent, c'est-à-dire le déposer sur un compte ou le remettre à un prestataire.

■ L'argent n'a pas d'odeur, mais il a une couleur : on fait référence au billet vert (le dollar) ou au métal jaune (l'or). L'argent sale, produit d'activités illicites, doit être blanchi pour réintégrer les circuits légaux.

+ Pour en savoir plus

☐ Les machines à sous, appelées aussi bandits manchots, sont autorisées depuis 1988 sous certaines conditions. 50 % des gains sont prélevés par l'État.

ET MAINTENANT À VOUS...

Répondez par vrai ou par faux.

1 Le montant de la TVA est de 15,6 %.
2 Le pourboire est obligatoire au restaurant.
3 Les jeux d'argent sont un monopole d'État.
4. L'argent liquide désigne l'argent sous forme d'espèces.
5. Les impôts sur le revenu sont prélevés à la source.
6. L'or est parfois appelé « métal jaune ».

7 Le marchandage est une pratique courante dans les magasins traditionnels.
8. La moitié des Français joue une fois par an à des jeux d'argent.
9. C'est pour l'alimentation que les Français dépensent le plus d'argent.
10. Autrefois le pourboire s'appelait le pourmanger.

L'habitat

Pendant longtemps la France a été un pays essentielle-ment rural et agricole. À partir de 1850, le nombre des agriculteurs a commencé à diminuer. Alors qu'à cette époque 85 % de la population habitait à la campagne, aujourd'hui 75 % des Français de métropole habitent dans des aires urbaines. Cependant, depuis quelques décennies, les campagnes se repeuplent au détriment de certaines grandes villes. Les migrants fuient la hausse du prix de l'immobilier, ainsi que la pollution, le stress, les embouteillages, le bruit et la délinquance. Ce phénomène de néoruralité, renforcé par le développement des outils de communication, devrait se poursuivre.

Les types d'habitat

La planification urbaine et l'extension de certaines banlieues sont souvent responsables de la construction d'édifices qui enlaidissent et uniformisent les abords des agglomérations. En revanche, la campagne française est faite d'une mosaïque de paysages et de styles architecturaux caractéristiques.

Ces styles très divers, à la mode à une certaine époque et dans une région particulière, sont à la fois le reflet de l'histoire et de la géographie. La variété géologique a imposé aux bâtisseurs des matériaux de construction différents qui donnent aux villages leur identité.

Ainsi on trouve des maisons de granit en Bretagne, des façades de grès rouge dans le pays basque ou de calcaire orangé en Dordogne.

Village de Saint-Émilion au nord-est de Bordeaux, dans le département de la Gironde.

La construction immobilière

Entre 1950 et 1970, pour faire face à l'augmentation de la population urbaine, on a construit de manière industrielle à la périphérie des grandes villes, et l'on a vu apparaître de grands ensembles, souvent mal conçus, de mauvaise qualité et implantés dans des zones sans vie appelées banlieues-dortoirs.

À partir de 1970, on a abandonné les grandes tours de béton et on a construit des immeubles plus petits, de meilleure qualité. S'est également développée la construction de lotissements de maisons individuelles appelés villages pavillonnaires par les urbanistes.

Les bâtiments écologiques

Les architectes et professionnels du design sont de plus en plus nombreux à s'intéresser aux concepts et aux technologies de la construction durable. Depuis quelques années, on constate un développement de la construction de bâtiments verts. Des particuliers entreprennent de construire ou de rénover leur maison dans un esprit écologique en choisissant des matériaux naturels et des énergies renouvelables. Pour cela, ils sont fortement incités par des mesures de défiscalisation.

Maison bretonne typique en granit.

Les grands ensembles sont des concentrations de très grands immeubles.

Les espaces urbains

Le centre ville des grandes cités est de plus en plus consacré aux affaires et aux commerces. Néanmoins, on y trouve encore quelques quartiers bourgeois et des quartiers anciens promis à la rénovation. Dans les banlieues défavorisées logent de nombreux travailleurs immigrés et leurs familles, des jeunes à la recherche d'un premier emploi, des chômeurs. On parle du mal des banlieues ou des quartiers en difficulté pour évoquer le malaise social qui y est attaché.
À l'opposé, il existe des banlieues chics où résident les catégories sociales les plus favorisées.

Autrefois gravés sur la pierre, les noms des rues apparaissent en blanc sur fond bleu depuis 1938.

Le logement

Plus de la moitié des ménages habite une maison individuelle, et 57 % sont propriétaires de leur logement. Les personnes vivant dans des habitats collectifs rêvent d'une maison individuelle : les charges de copropriété sont souvent moins élevées que dans un immeuble, et la rentabilité est plus intéressante que pour un appartement.
Ce qui motiverait les Français à quitter leur logement actuel serait par ordre de priorité, un jardin, une pièce en plus ou une vue agréable et dégagée. Viennent ensuite un meilleur accès aux commerces, aux loisirs et transports en commun, un environnement moins bruyant, un parking, un garage, un environnement plus sûr, une cave et une meilleure luminosité.

Des lotissements à la périphérie d'une ville.

? Le saviez-vous ?

■ La numérotation des bâtiments est laissée à l'initiative du maire d'une commune. À Paris, le système de numérotation est apparu en 1805 ; les nombres impairs sont situés à gauche de la rue, et les nombres pairs à droite, dans d'autres villes, c'est le contraire.

Napoléon III et le préfet Haussman ont conduit un grand projet d'urbanisme qui a transformé Paris entre 1852 et 1870. Les immeubles de type Haussmanien sont caractéristiques de cette transformation.

■ Les logements sociaux

Près de 20 % des ménages louent un logement social. La plupart de ces logements sont des HLM (habitations à loyer modéré) permettant à des personnes qui ont des ressources modestes de se loger à moindre frais. La pauvreté urbaine est un problème majeur : 28 % des ménages urbains à bas revenus vivent dans une cité ou un grand ensemble, et les logements sont souvent surpeuplés ; on y trouve une grande proportion d'immigrés et de ménages avec enfants.

La loi solidarité et renouvellement urbain (SRU), votée en 2000, impose à certaines communes de proposer 20 % de logements sociaux. Un tiers des villes concernées par cette loi préfère payer une amende plutôt que de respecter la règle. La France connaît en effet une crise du logement social. On estime que 100 000 personnes (dont 20 000 enfants mineurs) sont sans logis et dorment occasionnellement dans les rues, des garages, des cages d'escaliers, etc. Les deux tiers des SDF (sans domicile fixe) sont des hommes, et près d'un tiers sont étrangers. Cette situation critique engendre des réactions de solidarité sociale et la création de différentes associations qui militent pour le droit au logement.

■ Le budget

L'occupant d'un appartement doit payer une taxe d'habitation, et chaque propriétaire une taxe foncière. Si vous habitez un appartement dont vous êtes propriétaire, vous êtes redevable de ces deux impôts dont le montant dépend, entre autres, des caractéristiques du logement. La taxe d'habitation et la taxe foncière sont des impôts locaux perçus par les communes, les départements et les régions.

Le contrat de location est appelé bail. Le propriétaire est le bailleur, et l'agence à qui il a donné pouvoir de gérer ses biens est son mandataire.

Logements sociaux.

Il n'est pas obligatoire d'utiliser les services d'un agent immobilier pour louer ou acquérir un bien.

Des organismes sociaux peuvent accorder, sous certaines conditions, des aides financières comme l'aide personnalisée au logement (APL), le prêt à l'amélioration de l'habitat ou une prime de déménagement. L'aide personnalisée au logement prend en charge chaque mois une fraction du loyer des locataires ou de la mensualité d'emprunt des accédants à la propriété. Son montant augmente quand le revenu du ménage diminue, il baisse quand ses ressources augmentent.

Le confort

Pendant longtemps les conditions de confort des logements en France étaient inférieures à celles des autres grands pays d'Europe. Mais, en trente ans, la France a comblé son retard. Cependant 4 % des logements ne disposent pas de W.-C. ni d'installations sanitaires. Il s'agit surtout de petits logements, situés à la campagne et occupés par des gens âgés ou étrangers.

La taille moyenne d'un logement est de 91 m², ce qui représente trois pièces pour un logement collectif et presque 5 pour un logement individuel. La loi interdit de louer un logement de moins de 9 m² et d'une hauteur sous plafond de moins de 2,20 m. De plus, tous les logements locatifs doivent être décents, c'est-à-dire confortables, correctement équipés, et ne pas présenter de risques pour la sécurité des locataires.

L'équipement

Presque tous les logements sont équipés d'un réfrigérateur, d'une cuisinière et d'un lave-linge ; en revanche le lave-vaisselle et le sèche-linge arrivent en dernière place de l'équipement électroménager, ce dernier étant considéré comme superflu, encombrant et coûteux en énergie.

Toit de tuiles traditionnelles souvent utilisées dans le sud de la France.

L'ardoise, matériau léger, est utilisé dans les régions où les toits sont très inclinés.

Les maisons aux façades ocres et aux volets bleus ou verts sont caractéristiques de la vieille ville de Nice.

Les relations de voisinage

Pour se mobiliser contre l'isolement des personnes seules en ville, un groupe d'amis a créé, en 1999, l'association Paris d'amis qui est à l'origine de la première fête des voisins.

Cette fête permet aux voisins de se rencontrer de manière conviviale dans les jardins, les cours, les halls d'immeuble, chez les uns ou chez les autres. L'association des maires de France appuie cette initiative, et l'événement a dépassé les frontières puisque 150 villes en Europe ont adopté cette manifestation. En France, près de quatre millions de personnes participent à cette fête qui a lieu le dernier mardi du mois de mai.

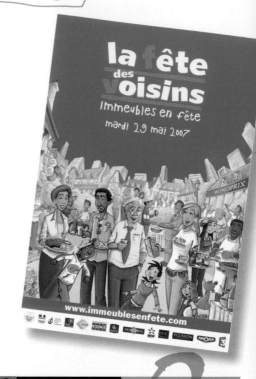

+ Pour en savoir plus

■ L'association Droit au logement (DAL) a été créée en 1990 par des familles mal logées ou sans-logis et des militants associatifs de quartier à Paris. L'action du DAL s'est concrétisée par le relogement de milliers de familles en situation précaire, par des améliorations législatives et par une prise de conscience, dans l'opinion, de la crise du logement.

? Le saviez-vous ?

■ Lorsqu'on emménage dans un nouveau logement, il est d'usage de pendre la crémaillère. À cette occasion, on organise un apéritif, un dîner ou une fête qui est une sorte d'inauguration du domicile.

ET MAINTENANT À VOUS...

Répondez par vrai ou par faux.

1. 50 % des Français habitent en ville.
2. La taxe foncière est payée par les locataires.
3. On pend la crémaillère lorsqu'on quitte son domicile.
4. On peut être expulsé de son domicile à tout moment si l'on ne paie pas son loyer.
5. La surface moyenne d'un appartement est d'environ 90 m².
6. Un grand ensemble est une zone de petites maisons situées dans la banlieue.
7. SDF est une association qui milite pour le droit au logement.
8. HLM signifie habitation à loyer modéré.
9. La fête des voisins s'appelle Immeubles en fête.
10. Les gens du voyage n'ont pas de logement fixe.

Les déplacements

La part de budget que les Français consacrent aux transports est très importante, et l'essentiel de ces dépenses concerne le véhicule personnel. Chaque ménage dépense plus de 5 000 € par an pour ses déplacements. Les transports collectifs sont victimes de la place occupée par la voiture personnelle. Les communes font de nombreux efforts pour promouvoir les transports publics (bus, métro, tramway), et la SNCF (Société nationale des chemins de fer français) met en place une politique commerciale pour attirer de nouveaux usagers en proposant une tarification et des services mieux adaptés.

Les transports en commun

Pour lutter contre la pollution, le bruit et les embouteillages, les municipalités s'efforcent de développer les transports en commun. Afin d'encourager ce type de transport, des efforts sont faits sur la qualité du service : ponctualité, fréquence, vitesse, facilité des correspondances et information des voyageurs. Dans de nombreuses villes, la localisation des bus et des trams par satellite permet l'affichage automatique des arrêts et l'indication précise des arrivées prévues aux stations.

■ Le tram, le bus

Des villes comme Grenoble, Bordeaux, Strasbourg, Nancy, et plus récemment Paris, ont choisi de mettre en service un tramway, mode de transport silencieux et non polluant.

Dans certaines agglomérations, des bus roulent au diester, mélange de gasoil et de colza moins polluant qu'un carburant classique.

Pour encourager les automobilistes à laisser leur véhicule aux abords des villes, des parkings-relais sont mis à leur disposition par les municipalités ; l'utilisation de ces parkings permet d'obtenir des tickets de transport à prix réduit pour tous les passagers du véhicule.

Dans la plupart des villes, les personnes âgées de plus de 65 ans, les demandeurs d'emploi, les allocataires du RMI (revenu minimum d'insertion) bénéficient de la gratuité des transports à certaines heures ; les collégiens, les lycéens et les étudiants circulent à des tarifs préférentiels. Les entreprises qui ont signé des conventions avec la compagnie de transport urbain peuvent prendre en charge une partie du coût des déplacements de leurs salariés.

■ Le métro

Quelques grandes villes françaises comme Paris bien sûr, mais aussi Lyon, Marseille, Toulouse, Lille, Rouen disposent d'un métro. Le métro parisien est né en 1900 et comporte 325 stations. L'architecte et décorateur Hector Guimard qui a imposé le style Art Nouveau dans l'architecture parisienne est devenu très populaire grâce aux entrées de métro qu'il a fait réaliser entre 1899 et 1904.

84 bouches de métro ont été conçues par Hector Guimard.

? Le saviez-vous ?

On peut acheter les tickets dans les bus, aux arrêts de trams et dans la plupart des bureaux de tabac.

Rame de métro parisien.

Le train

La SNCF (Société nationale des chemins de fer français), créée en 1937, a mis en service le TGV (train à grande vitesse) en 1981. Le train ne représente qu'une petite partie des transports en France.

Plus de 80 % des Français pensent que le train est le mode de transport le plus doux. Les habitants de la périphérie des villes sont les plus nombreux à en être convaincus.

Les critères d'environnement et de réduction de la pollution arrivent en tête des raisons pour lesquelles les Français utilisent le train devant le stress, les embouteillages, la sécurité, la qualité de vie, le coût ou encore les contraintes de stationnement.

À la gare, il est possible d'acheter son billet au guichet ou à la billetterie automatique, de laisser ses bagages à la consigne, manuelle ou automatique, ainsi que de prendre un repas au buffet. Le contrôleur vérifie au cours du voyage que les billets ont bien été compostés, et donne des amendes aux voyageurs qui ne sont pas en règle.

Pour voyager en TGV, il est indispensable d'avoir une place assise réservée.

Le TGV a constitué une révolution dans le monde des transports et a incité de nombreux Français à abandonner la voiture sur les longs parcours. Il représente plus de la moitié du trafic de la SNCF et dessert 250 gares. Les lignes franchissent les frontières : Eurostar emprunte le tunnel sous la Manche, Thalys relie Paris à Bruxelles et Amsterdam.

Sur des distances inférieures à 1 000 km, le train est plus rapide que l'avion, moins cher et plus confortable.

Les TER (trains express régionaux) sont empruntés quotidiennement par les personnes qui se rendent à leur travail. Certaines entreprises prennent en charge tout ou partie du coût du billet. La SNCF propose des compartiments avec des emplacements dédiés aux vélos, et des parkings sécurisés pour les deux roues aux abords des gares.

Avant de monter dans le train il ne faut pas oublier de valider son billet, à l'aide d'un appareil appelé composteur.

? Le saviez-vous ?

La SNCF (Société nationale des chemins de fer français) et la RATP (Régie autonome des transports parisiens) dressent respectivement plus d'un million de procès-verbaux par an (essentiellement pour fraude). Un tiers de ces contraventions ne sont pas recouvrées car les contrevenants déclarent une fausse identité.

La voiture

La place de la voiture ne cesse de s'accroître dans les déplacements des Français. Le transport routier des voyageurs et des marchandises est considéré comme la cause principale de la pollution dans les grandes agglomérations. La voiture est le troisième poste de dépense des ménages (achat du véhicule, assurance, carburant, entretien, stationnement, péage d'autoroute) après le logement et l'alimentation. 49 % des ménages ont une voiture, 29 % en ont deux. Une voiture sur deux est un modèle diesel. Avec 590 véhicules pour 1 000 habitants, la France se situe au deuxième rang au sein de l'Union européenne derrière l'Italie.

? Le saviez-vous ?

Le code de la route est une innovation française qui date de 1922.
Le rétroviseur a été inventé par un Français en 1906.

◼ Le permis de conduire

Il est possible de passer un permis de conduire à partir de 18 ans, cependant on peut conduire avec un adulte et sous sa responsabilité dès l'âge de 16 ans, après avoir été formé à la conduite par une auto-école.

Pendant deux ans, les nouveaux conducteurs doivent placer à l'arrière de leur véhicule un signe figurant la lettre A comme *apprenti*. Le permis est probatoire et comporte 12 points, il est doté de six points pour les trois premières années. Après trois ans sans infraction, les six autres points sont acquis à raison de deux par an.

Le permis de conduire est devenu une épreuve compliquée, chère, et qui en cas d'échec demande des mois de persévérance. Ainsi on voit se développer un business des faux permis, et on estime que deux millions de personnes conduisent sans ce précieux document.

Panneaux indicateurs urbains.

Pour préparer l'examen pratique du permis de conduire, le candidat doit conduire au moins 20 heures en présence d'un formateur.

Le covoiturage

Le covoiturage est un système de transport économique, écologique, solidaire et citoyen. Des particuliers s'organisent pour utiliser un même véhicule, par exemple, pour se rendre ensemble dans un même véhicule sur leur lieu de travail. Certaines entreprises gèrent elles-mêmes le système de covoiturage ; elles estiment que cela permet aux collaborateurs de mieux se connaître, ce qui contribue à de meilleures relations, et donc à une plus grande efficacité dans le travail.

Ce panneau prévient les automobilistes de la présence d'un radar automatique de contrôle de la vitesse. Cette dernière est limitée à 50 km/h en ville, 90 km/h sur routes et 130 km/h sur autoroutes.

Il est possible de contester un procès verbal d'infraction au code de la route même si la contestation a peu de chance d'aboutir.

+ Pour en savoir plus

Un nouveau système d'immatriculation sera mis en place à partir du 1er janvier 2009 attribuant un « numéro à vie » à chaque véhicule neuf.

La sécurité routière

Les accidents de la route sont la première cause de mortalité des jeunes de 15 ans à 24 ans. Les 15-24 ans représentent 13 % de la population française, mais 28 % des personnes tuées sur la route. La sécurité routière constitue aujourd'hui une priorité nationale. En dépit de la multiplication des campagnes d'information et de prévention, le nombre d'accidents mortels est encore très élevé. Cette situation a conduit le gouvernement à mener une politique répressive en matière de sécurité routière (mise en place de radars automatiques, multiplication des contrôles et des sanctions). Cette politique répressive, impopulaire lors de sa mise en place, est finalement bien acceptée maintenant qu'elle semble porter ses fruits.

La Prévention routière est une association dont le rôle est d'informer, d'éduquer et de sensibiliser les usagers de la route aux risques liés à la conduite et à la circulation.

Pour lutter contre les accidents dus à la consommation d'alcool chez les jeunes, une action appelée Capitaine de soirée est menée auprès des discothèques, des bars, des clubs sportifs et auprès des organisateurs de soirée : le capitaine de soirée s'engage à ne pas boire et à raccompagner les membres du groupe dont il est responsable.

L'automobiliste est bête, il croit que c'est le motard qui est bête, alors qu'en fait c'est le cycliste, dit le piéton.

La route est réservée à tous, partageons.

L'association Prévention routière a été créée en 1949 par les sociétés d'assurance.

Le dernier numéro des plaques de voitures immatriculées avant 2009 correspond au numéro du département.

Les deux roues

Le vélo

Avec cinq vélos pour 100 habitants, la France est en troisième position en Europe derrière l'Allemagne et les Pays-Bas. L'extension dans les villes des réseaux de pistes cyclables et la création de places de stationnement protégées du vol incitent les Français à utiliser ce mode de déplacement. Les grèves fréquentes des transports collectifs dans certaines grandes villes, surtout à Paris, ont provoqué un développement de l'usage de la bicyclette. Cet intérêt pour le vélo provient de la prise de conscience de l'augmentation de la pollution et est largement encouragé par les mouvements écologistes.

Le velib' est un système de location de bicyclette en libre-service à Paris.

Le scooter

Depuis une quinzaine d'années, le scooter connaît un grand succès. En ville, c'est un moyen de transport pratique, rapide et confortable qui permet d'échapper aux embouteillages. Il plaît aux jeunes, aux moins jeunes, aux hommes et aux femmes, et il séduit les nostalgiques des années soixante.

? Le saviez-vous ?

Depuis 1996 une loi impose de réaliser des aménagements cyclables dès qu'une voie urbaine est créée ou simplement rénovée.

ET MAINTENANT À VOUS...

Répondez par vrai ou par faux.

1. Le TER est un train réservé aux circuits touristiques.
2. Le code de la route est une innovation française qui date de 1910.
3. Le TGV ne circule qu'en France.
4. On dispose automatiquement de 12 points quand on obtient le permis de conduire.
5. Le numéro des départements figure sur les plaques d'immatriculation.
6. Un capitaine de soirée est un organisateur de fêtes.
7. Le buffet de la gare est une consigne automatique.
8. Le covoiturage est un système qui permet d'acheter une voiture à plusieurs.
9. On peut obtenir un permis de conduire dès l'âge de 16 ans.
10. Il est indispensable de composter son billet avant de monter dans un train.

L'école

En 1882, Jules Ferry, ministre de l'Instruction publique, fait voter les lois instituant la gratuité, la laïcité et l'obligation de l'enseignement primaire.

Aujourd'hui, ces principes sont toujours valables, et l'éducation scolaire est obligatoire de 6 ans à 16 ans. Sur les douze millions de jeunes scolarisés, dix millions fréquentent l'enseignement public, les autres sont inscrits dans des établissements privés, essentiellement de confession catholique. Les programmes officiels sont définis par le ministère de l'Éducation nationale et sont appliqués également dans les établissements privés sous contrat avec l'État.

L'enseignement primaire

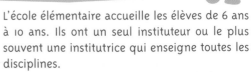

L'école maternelle

Tous les enfants de 3 ans à 5 ans fréquentent l'école maternelle qui n'est pas obligatoire. S'ils sont propres et si des places sont disponibles, ils peuvent être accueillis dès l'âge de 2 ans.

L'école maternelle se compose de trois sections : la petite, la moyenne et la grande section. Les enfants apprennent à vivre ensemble, dessinent, écoutent des histoires, chantent et... font la sieste. En grande section, ils commencent à apprendre à lire et à compter. Dans certaines écoles maternelles, les enfants sont initiés aux langues étrangères, à la cuisine, à l'informatique, à la musique ou au jardinage.

Les élèves des petites sections ont la possibilité de rester à l'école seulement le matin mais souvent les enfants dont les parents travaillent, passent toute la journée, de 8 h 30 à 16 h 30 dans l'établissement. Dans ce cas, ils déjeunent à la cantine.

L'école élémentaire

L'école élémentaire accueille les élèves de 6 ans à 10 ans. Ils ont un seul instituteur ou le plus souvent une institutrice qui enseigne toutes les disciplines.

Les écoliers apprennent les bases de la lecture, de l'écriture et du calcul au cours préparatoire (CP) et au cours élémentaire première année (CE1). Dès le CE1, les enfants ont une initiation à une langue étrangère ou régionale, une heure par semaine.

Puis, de 8 ans à 11 ans, les élèves approfondissent leurs connaissances au cours élémentaire deuxième année (CE2), au cours moyen première et deuxième année (CM1 et CM2). Les horaires hebdomadaires de travail sont lourds.

Les enfants sont à l'école en moyenne six heures par jour, et souvent quand leurs deux parents travaillent, ils déjeunent à la cantine et restent à l'étude du soir. Ils n'ont jamais de cours les mercredis et samedis après-midi.

Dans les campagnes peu peuplées, les enfants d'âges différents sont regroupés dans une même classe.

Les préfectures organisent avec des professionne (pompiers, policiers, etc.) des ateliers de sensibilisatio à la sécurité routière pour les écoliers et les collégiens.

La France est le pays d'Europe où les enfants ont le moins de jours de classe et le plus d'heures de cours par jour (36 semaines de travail annuel). Il arrive souvent que leur journée ne soit pas terminée lorsqu'ils quittent l'école car, malgré les directives ministérielles qui déconseillent le travail à la maison, la plupart des enfants ont des devoirs à faire en rentrant chez eux.

Ce rythme de travail est remis en cause. Certaines écoles expérimentent déjà de nouveaux horaires avec la semaine de quatre jours : pas de cours le samedi matin et un peu moins de vacances.

? Le saviez-vous ?

Les enfants des gens du voyage (forains, gens du cirque, bateliers) doivent être accueillis, même pour une courte durée, dans les établissements scolaires de leur lieu de passage. Des camions-écoles ou des maîtres itinérants peuvent apporter un soutien scolaire occasionnel à ces enfants souvent en grande difficulté.

+ Pour en savoir plus

L'inscription dans un établissement scolaire public est un droit absolu pour tous les enfants vivant sur le territoire national indépendamment de leur statut au regard de l'immigration.

Pour satisfaire les professionnels du tourisme, le ministère de l'Éducation nationale a découpé la France en trois zones géographiques différentes pour les dates de vacances d'hiver et de printemps, cela permet d'échelonner les départs.

De plus en plus d'établissements scolaires proposent des aides aux devoirs du soir.

La commune est propriétaire des écoles publiques maternelles et élémentaires, elle en assure la construction, l'équipement et le fonctionnement.

L'enseignement secondaire

L'enseignement secondaire est divisé en deux niveaux : le collège et le lycée.

En 1963, le ministère de l'Éducation nationale a mis en place une carte scolaire partageant les villes en secteurs pour réguler le flux croissant d'élèves et améliorer la gestion des établissements. Jusqu'à présent, les enfants devaient fréquenter le collège ou le lycée de leur secteur. Cette carte scolaire a fait l'objet de multiples débats, car de nombreuses familles tentaient d'y échapper pour éviter les établissements qui ont mauvaise réputation et inscrire leur enfant dans un collège ou lycée de leur choix. Elle a été largement assouplie à la rentrée scolaire 2007.

Le collège

Le collège accueille tous les élèves après le CM2, en général à l'âge de 11 ans s'ils n'ont pas redoublé à l'école primaire. Le collège est organisé en quatre années obligatoires : 6e, 5e, 4e et 3e. C'est souvent un grand bouleversement pour les jeunes collégiens puisqu'ils changent de matière et donc de professeur toutes les heures. Ils suivent entre 25 heures et 28 heures de cours hebdomadaire. En classe de 6e, ils doivent étudier une langue étrangère ; la majorité des élèves choisit l'anglais (environ 88 %), viennent ensuite l'espagnol et l'allemand. En 4e, ils choisissent une seconde langue vivante étrangère ou régionale. Les parents reçoivent un bulletin trimestriel commenté par les enseignants. Dans certains établissements les notes sont consultables par Internet, le ministre de l'Éducation nationale souhaitant généraliser cette pratique.

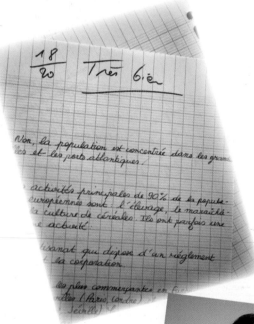

Une directive ministérielle indique que le poids du cartable (ou du sac à dos) ne doit pas dépasser 10 % du poids de l'élève.

Dans l'enseignement secondaire, il est d'usage de noter les élèves sur 20.

Le conseil de classe, où les élèves et les parents sont représentés, décide à la fin de l'année du passage d'un élève en classe supérieure ou de son redoublement. Le conseil de classe décide également de l'orientation de l'élève en fin de 3ᵉ. Ceci se fait le plus souvent en accord avec les parents. Les collégiens peuvent rejoindre un lycée d'enseignement général ou technique, aller dans un lycée professionnel, entrer en apprentissage chez un patron pour apprendre un métier ou quitter le système scolaire s'ils ont plus de 16 ans.

À l'issue de la classe de 3ᵉ, les élèves peuvent passer un examen pour obtenir le diplôme national du brevet des collèges.

+ Pour en savoir plus

■ 3 250 000 élèves fréquentent les 7 010 collèges publics ou privés.
Dans les zones rurales, les jeunes sont souvent internes : ils restent toute la semaine à l'internat, c'est-à-dire qu'ils mangent et dorment au collège ou au lycée.

■ Le lycée

Après le collège, les élèves peuvent poursuivre leur scolarité dans un lycée professionnel, dans un lycée d'enseignement technique ou général. La voie professionnelle permet aux jeunes qui ne souhaitent pas faire d'études longues, d'intégrer rapidement le monde du travail. En deux ans, ils préparent un CAP (certificat d'aptitude professionnelle) ou un BEP (brevet d'études professionnelles). Après le BEP et deux ans d'études, ils peuvent présenter un des 48 baccalauréats professionnels. Cette filière, encore trop souvent destinée aux jeunes en échec scolaire, est de plus en plus appréciée par les entreprises.

Les collèges et lycées français sont dotés de centres de documentation et d'information (CDI) depuis 1973.

BAC GÉNÉRAL   BAC PROFESSIONNEL

terminale générale	terminale technologique	terminale professionnelle
1ʳᵉ générale	1ʳᵉ technologique	1ʳᵉ professionnelle
		terminale CAP - BEP
seconde	1ʳᵉ d'adaptation	2ᵈᵉ professionnelle

BREVET DES COLLÈGES   LYCÉE

COLLÈGE

3ᵉ

4ᵉ

5ᵉ

6ᵉ

Organigramme du système scolaire français.

La voie technologique prépare les élèves à poursuivre des études supérieures en deux ans ou plus. La voie générale prépare les lycéens à poursuivre des études longues.

Le lycée se compose de trois classes : la seconde, la première et la terminale, année du baccalauréat.

Les lycéens doivent étudier de nombreuses matières et ont entre 30 heures et 40 heures de cours par semaine selon les options choisies. La classe de seconde permet aux élèves de l'enseignement général et technologique de tester leurs choix et leurs aptitudes. Ils se spécialisent en classe de première.

Le baccalaréat

La fin du lycée est sanctionnée par le baccalauréat (le bac) : en fin de première, les élèves passent l'épreuve anticipée de français, puis en fin de terminale, le reste des épreuves.

Le bac est un diplôme important pour l'avenir des jeunes Français car il ouvre les portes de l'enseignement supérieur.

Les candidats au baccalauréat ne sont autorisés à quitter la salle d'examen qu'une heure après le début de l'épreuve.

À l'issue du lycée technique, les lycéens peuvent présenter un des huit baccalauréats technologiques comme, par exemple, le bac sciences et technologies industrielles ou sciences médico-sociales ou encore techniques de la musique et de la danse.

L'enseignement général compte trois bacs : le bac S (scientifique), le bac L (littéraire) et le bac ES (économique et social).

Le pourcentage de réussite au bac général est relativement élevé puisque les élèves en difficulté sont orientés vers des filières courtes en fin de classe de 3e. En 2007, il était de 87,6 %, alors que celui du bac technologique était de 79,5 % et celui du bac professionnel de 77,9 %.

Les candidats qui obtiennent une moyenne au moins égale à 8/20 et inférieure à 10/20, sont autorisés à passer des épreuves de rattrapage afin de décrocher leur diplôme.

? Le saviez-vous ?

Le bac a été créé par Napoléon en 1808, il se composait d'une seule épreuve orale passée par 31 candidats. Aujourd'hui, ils sont plus de 600 000 !

Il est possible de passer le bac à tout âge, même si on n'est pas inscrit dans un lycée. En 2007, 21 candidats avaient plus de 50 ans et le plus jeune avait 12 ans et 11 mois !

Tous baccalauréats confondus, les filles réussissent mieux que les garçons.

Les établissements scolaires français à l'étranger

La France a homologué 422 établissements scolaires dans de très nombreux pays. Ils dispensent un enseignement conforme aux programmes français. Ils sont principalement fréquentés par les enfants des Français qui travaillent à l'étranger mais aussi par tous ceux que la culture et l'éducation françaises intéressent. En 2006, 240 000 élèves étaient inscrits dans ces établissements, financés par les droits de scolarité payés par les familles.

Les résultats du baccalauréat sont rendus publics par voie d'affichage dans les établissements, ils sont également disponibles sur les sites Internet de chaque académie.

L'école en question

Le ministre de l'Éducation nationale dirige un ministère difficile, il emploie 1 140 000 personnes dont 884 000 enseignants et gère un budget colossal qui représente 19 % du budget de l'État. L'enseignement et l'éducation sont des thèmes qui passionnent les Français. Ils sont persuadés que l'éducation est un facteur de réussite pour leurs enfants mais ils sont conscients que l'école traverse également une crise profonde.

En effet, beaucoup trop de jeunes sont en échec et quittent le système scolaire sans diplôme et sans formation et ceci malgré la création de ZEP (zone d'éducation prioritaire) dans les quartiers populaires à forte population immigrée. La laïcité de l'école a été sauvegardée malgré la montée des communautarismes : le port du voile par les jeunes musulmanes, qui a donné lieu à de vives discussions, est interdit dans l'enceinte de l'école, de même que tout autre signe religieux. La violence à l'école est en augmentation et fait souvent les gros titres de la presse. C'est en partie pour ces raisons que de nombreux parents font le choix d'inscrire leurs enfants dans des établissements privés où, pensent-ils, ils seront mieux suivis et où la discipline sera plus stricte.

+ Pour en savoir plus

Les 9 000 établissements d'enseignement privés scolarisent plus de deux millions d'élèves, soit 17 % de l'ensemble des effectifs.
On compte une centaine de groupes scolaires juifs et seulement trois établissements scolaires musulmans.

ET MAINTENANT À VOUS...

Répondez par vrai ou par faux.

1. Les jeunes doivent fréquenter l'école jusqu'à l'âge de 16 ans.

2. La majorité des jeunes étudient dans des établissements catholiques.

3. À l'école maternelle, les enfants peuvent dormir sans être punis.

4. Les enfants français ont de très nombreux jours de vacances en comparaison de leurs voisins européens.

5. Les écoliers français apprennent une langue étrangère dès l'âge de 6 ans.

6. Les jeunes peuvent choisir le collège où ils souhaitent étudier.

7. La majorité des collégiens étudie l'anglais comme première langue.

8. Les conseils de classe réunissent les professeurs, des représentants des élèves et des représentants des parents.

9. L'enseignement secondaire est composé de six classes.

10. Les lycées français à l'étranger sont réservés aux jeunes de nationalité française.

11. Les filles qui obtiennent le bac sont plus nombreuses que les garçons.

12. Seuls les lycéens peuvent passer le bac.

L'Enseignement supérieur

*A*près l'obtention d'un bac, les bacheliers peuvent intégrer un établissement universitaire privé ou public ou continuer dans un lycée pour préparer un BTS (brevet de technicien supérieur), ou effectuer une classe préparatoire aux grandes écoles (CPGE). La plupart d'entre eux vont à l'université. Plus de deux millions d'étudiants sont inscrits dans l'enseignement supérieur dont 1 470 000 dans les 85 universités publiques. Ce chiffre est stable depuis 5 ans environ.

Les formations courtes

Les sections de techniciens supérieurs (STS)

Cette formation, accessible après un bac technologique dispense, dans les lycées, un enseignement spécialisé, accompagné d'un ou plusieurs stages en entreprise. Elle permet d'obtenir en deux ans un brevet de technicien supérieur (BTS). Environ 230 000 étudiants sont inscrits dans les différentes formations proposées par les lycées.

$$2ab\left(\frac{4^2a(5\times3b)}{\sqrt{5}\times4ab}\right)+4c$$

Les Instituts universitaires de technologie (IUT)

Les IUT, fréquentés en grande partie par les titulaires d'un bac technologique, sont des filières de formations professionnelles. Les études durent deux ans et sont sanctionnées par un DUT (diplôme universitaire de technologie). L'admission dans un IUT dépend du dossier scolaire (produit par le lycée) et du type de bac dont l'étudiant est titulaire. L'obtention d'une mention est parfois déterminante. Près de 165 000 étudiants sont inscrits dans les 115 IUT rattachés aux universités.

+ **Pour en savoir plus**

■ Près de 50 % d'une génération accède à l'enseignement supérieur, mais près de 25% des bacheliers abandonnent leurs études et quittent l'université sans diplôme.

Les formations paramédicales et sociales

Les formations paramédicales concernent des professions aussi diverses qu'infirmier, opticien, sage-femme ou masseur kinésithérapeute. Selon la profession visée, les études peuvent durer de 2 ans à 4 ans.

Les formations aux métiers du secteur social, sanctionnées par un diplôme d'État, débouchent sur des professions telles qu'éducateur ou assistant social. Ces formations durent en général trois ans et comprennent plusieurs mois de stage.

Dans les formations universitaires courtes, les travaux pratiques constituent une grande partie des enseignements.

L'enseignement supérieur long

Dans le cadre de l'harmonisation des cursus d'enseignement supérieur européens, le cursus universitaire s'organise autour de trois diplômes : la licence, le master et le doctorat. Cette organisation, dite LMD, permet d'accroître la mobilité des étudiants européens. L'année universitaire se décompose en deux semestres : du mois de septembre au mois de janvier, et du mois de février au mois de mai. Chaque semestre d'études est affecté de 30 crédits ou ECTS (*European credit transfer system*) capitalisables et transférables dans de nombreux pays européens.

Les universités sont ouvertes à tous les étudiants titulaires du bac. Ces derniers doivent, sauf exception, s'inscrire dans leur académie d'origine, au moins pour le premier cycle.

La licence

Pendant six semestres, l'étudiant se spécialise petit à petit. Il doit capitaliser 180 crédits pour obtenir sa licence. Certaines universités proposent des licences professionnelles, plus spécialisées et plus proches du marché de l'emploi. À l'issue de la licence, les étudiants peuvent préparer un master.

Le master

Il s'obtient après quatre semestres d'études et 120 crédits. L'étudiant peut choisir entre un master professionnel, plus orienté vers la vie active, et un master recherche qui le prépare au doctorat. Le master est un diplôme qui correspond à cinq années d'études après le bac.

Le doctorat

Il peut se préparer en six semestres après le master recherche. Le système des crédits n'est pas appliqué au doctorat.

Les universités mettent en place des chaînes d'inscription pour aider les bacheliers dans leurs démarches administratives.

Un dispositif mis en place par le ministère de l'Éducation nationale permet à chaque étudiant d'acheter un ordinateur portable, à crédit, pour un euro par jour pendant trois ans.

Les études de médecine

Elles durent de 9 à 11 ans et sont extrêmement sélectives : dès la première année, les étudiants passent un concours dont le *numerus clausus* est fixé chaque année (7 100 admis en 2007). Seuls 20 % des candidats accèdent à la deuxième année, et il est impossible de se présenter plus de deux fois aux épreuves. Après la cinquième année d'études, l'étudiant passe un autre concours afin d'intégrer l'internat dans un CHU (centre hospitalier universitaire) où il achèvera sa formation pratique. Ces épreuves classantes nationales déterminent le choix de la discipline et l'affectation géographique.

La formation des enseignants

L'Éducation nationale recrute les enseignants par voie de concours.

Les futurs enseignants de l'enseignement secondaire passent le CAPES (certificat d'aptitude au professorat de l'enseignement secondaire) ou l'agrégation.

Ceux de l'enseignement primaire passent le concours de professeur des écoles, ils sont formés dans les instituts universitaires de formation des maîtres (IUFM). Leur formation initiale se déroule en trois temps. La première année est consacrée à la préparation des concours de recrutement. La deuxième année est dédiée à la formation des lauréats de ces concours qui deviennent fonctionnaires stagiaires. Cette année comprend à la fois des stages et des cours dispensés par des formateurs. Une fois ces deux années validées, les professeurs stagiaires sont titularisés et suivent une formation différée (quatre semaines au cours de la première année d'exercice et deux semaines au cours de l'année suivante).

Située sur la place centrale du domaine universitaire grenoblois, la bibliothèque universitaire des sciences est un espace stratégique de la vie étudiante.

Les grandes écoles

78 000 étudiants, dont 41 % d'étudiantes, s'inscrivent chaque année dans des classes préparatoires aux grandes écoles (CPGE) afin de préparer les concours qui leur permettront d'entrer dans une de ces prestigieuses grandes écoles. Ces concours se préparent en deux ans.

Ces grandes écoles ont une excellente réputation, puisqu'elles forment des cadres et des responsables de grandes entreprises mais aussi des fonctionnaires. De nombreux hommes politiques y ont fait leurs études.

Citons quelques-unes de ces écoles d'ingénieurs et de commerce : L'X (école polytechnique), l'École des Mines (ingénieurs en travaux publics), l'École centrale (école d'ingénieur), HEC (école de commerce), Saint-Cyr (école militaire), etc. Les études durent 3 ans et se déroulent dans 250 écoles dont un grand nombre sont intégrées aux universités.

Ce système élitiste est parfois critiqué en France : il coûte cher à l'État. En effet, la collectivité dépense 13 170 € pour un élève de CPGE et 6 820 € pour un étudiant d'université.

+ Pour en savoir plus

54 % des étudiants inscrits en première année des classes préparatoires aux grandes écoles ont des parents cadres ou exerçant des professions intellectuelles supérieures, 12 % sont issus de milieu populaire.

Le groupe HEC propose différentes formations au management et à l'entreprenariat. Les femmes sont admises à passer le concours d'entrée depuis 1973.

L'ENA (École nationale d'administration), créée en 1945, est chargée d'assurer la formation de hauts fonctionnaires. Initialement située à Paris, elle a été délocalisée à Strasbourg en 2005.

Le Centre national d'enseignement à distance

Premier opérateur de formation en Europe et dans le monde francophone, le Centre national d'enseignement à distance (CNED), créé en 1939, est un établissement public du ministère de l'Éducation nationale. Il s'adresse aussi bien aux élèves de l'enseignement primaire et secondaire qu'aux étudiants de l'enseignement supérieur ou à des professionnels qui souhaitent compléter leur formation. Il offre 3 000 formations accompagnées de services personnalisés, et près de 300 000 personnes suivent un de ces enseignements chaque année. Le CNED touche des publics très variés comme les gens du voyage, les expatriés, les malades, les détenus, ou encore les femmes au foyer : les deux tiers des inscrits ont plus de 18 ans, et 70 % sont des femmes. La plupart des formations supérieures préparées par le CNED coûtent entre 300 € et 400 € pour une année.

CNED
Se former tout au long de la vie

? Le savieZ-vous ?

Des personnes âgées souhaitant de la compagnie, proposent d'héberger gratuitement ou pour une somme modique des étudiants en échange de menus services.

La vie étudiante

Les bourses

Les étudiants dont les parents ont des ressources insuffisantes peuvent bénéficier d'une bourse d'études. Trois étudiants sur dix sont boursiers. Le montant de cette aide se situait, en 2007, entre 1 335 € et 3 661 € par an.

Si le budget des étudiants est globalement en hausse, une étude récente montre que de plus en plus d'étudiants vivent en dessous du seuil de pauvreté (650 € par mois).

Le logement

Les étudiants peuvent se loger dans les résidences universitaires gérées par le CROUS (Centre Régional des Œuvres Universitaires et Scolaires) mais le nombre de logements disponibles est insuffisant (93 000 chambres et 57 000 studios pour toute la France). Ils choisissent alors d'habiter dans des foyers privés ou de partager un appartement en colocation. Ils peuvent bénéficier de l'APL (aide personnalisée au logement) versée par la Caisse d'allocation familiale dont le montant dépend de la situation familiale (nombre de personnes à charge) et des revenus du bénéficiaire, ainsi que du logement lui-même (superficie, loyer, etc.).

La surface des chambres individuelles proposées par le CROUS est d'environ 10 m².

Les repas

Le CROUS gère aussi 365 restaurants universitaires (resto U) et 205 cafétérias situés à proximité des sites universitaires. Ils sont ouverts à tous les étudiants inscrits dans un établissement de l'enseignement supérieur. Un ticket de resto U, de 2,75 € en 2007, permet aux étudiants de prendre, midi et soir, un repas complet composé d'une entrée, d'un plat chaud et d'un dessert. Ces repas sont subventionnés par l'État.

Self-service de restaurant universitaire.

Le sport

Des activités sportives sont proposées à tous les étudiants et peuvent leur permettre d'obtenir des crédits ECTS.

Les activités culturelles

Tous les étudiants possèdent une carte d'étudiant qui donne accès gratuitement aux bibliothèques universitaires et leur permet de bénéficier de réductions dans différents lieux : cinémas, musées, théâtres, librairies, ciné-clubs, clubs sportifs, etc.

De nombreuses associations étudiantes organisent des manifestations culturelles (concerts, spectacles) ou des activités de loisirs (rencontres, soirées dansantes, excursions, etc.).

Le bâtiment EVE (Espace vie étudiante) sur le domaine universitaire de Grenoble est un lieu d'accueil et de détente pour tous les étudiants. Différentes associations y organisent des manifestations culturelles (concerts, théâtres, etc.).

Étudier loin de chez soi

☐ Les étudiants français à l'étranger

Le très populaire programme Erasmus d'échanges universitaires a fêté ses 20 ans en 2007.

Ce programme vise à renforcer la dimension européenne de l'enseignement supérieur en encourageant la coopération entre les universités. Il aura fait voyager près d'un million et demi de jeunes européens, et parmi eux 217 000 Français. Chaque étudiant perçoit une allocation communautaire d'un montant mensuel moyen de 124 € à laquelle s'ajoutent fréquemment des financements complémentaires variés d'origine nationale ou locale.

☐ Les étudiants étrangers en France

Les étudiants étrangers doivent pouvoir justifier d'un diplôme équivalent au baccalauréat.

S'ils ne sont pas ressortissants de l'Union européenne, ils doivent faire une demande d'admission préalable (DAP) pour s'inscrire en premier cycle.

Tout étudiant étranger doit justifier d'un niveau de compétence suffisant en français. Il doit être titulaire du DALF (diplôme approfondi de la langue française), ou passer le TCF DAP (test de connaissance du français) ou le TEF (test d'évaluation du français). Pour s'inscrire en 2e ou 3e cycle, l'étudiant doit se renseigner directement auprès de l'université demandée qui lui indiquera le test ou le diplôme requis.

Ces tests et examens peuvent être passés dans de nombreuses Alliances françaises ou Instituts français à l'étranger mais aussi en France dans les centres de FLE (français langue étrangère) agréés.

ET MAINTENANT À VOUS...

Répondez par vrai ou par faux.

1. Après le bac, la plupart des étudiants s'inscrivent à l'université.

2. Pour entrer dans un IUT, il suffit d'avoir le bac.

3. Les grandes écoles sélectionnent les étudiants à l'entrée.

4. Le CROUS gère les logements et les restaurants réservés aux étudiants.

5. Le montant des droits d'inscription est proportionnel aux revenus des parents.

6. Les étudiants peuvent se loger et se nourrir dans des lieux qui leur sont réservés.

7. Les étudiants qui réussissent aux concours de l'Éducation nationale deviennent fonctionnaires.

8. Le système de crédits facilite les échanges d'étudiants en Europe.

9. Tous les étudiants bénéficient d'une bourse la première année de leurs études.

10. Les étudiants étrangers qui souhaitent poursuivre leurs études en France doivent être titulaires du DALF.

Le Travail

13

Chapitre

*D*epuis deux cents ans, le temps de travail a baissé de moitié en France. C'est le pays développé où l'on travaille le moins au monde (en regard de la durée légale du travail). 41 % des Français sont considérés comme actifs, cela signifie que six Français sur dix ne travaillent pas, ils sont enfants, chômeurs, étudiants, préretraités, retraités ou inactifs.

Les catégories socioprofessionnelles

Les employés, cadres, techniciens représentent les catégories les plus importantes. Ce sont les professions liées aux services privés et publics qui se sont le plus développées (73 % des emplois). La catégorie des cadres, qui comprend entre autres les professions intellectuelles et libérales, représente près de quatre millions de personnes dont plus d'un tiers sont des femmes. Le nombre de commerçants et artisans a diminué en raison du développement des grandes surfaces. Le nombre d'ouvriers spécialisés (c'est-à-dire non qualifiés) ne cesse de diminuer.

Les conditions de travail

■ La durée hebdomadaire

En 1982 la durée légale du travail est passée de 40 heures à 39 heures par semaine. Depuis 1998, elle est fixée à 35 heures (ou 1 600 heures par an) pour toutes les entreprises quel que soit leur effectif. Cette réduction du temps de travail (RTT) a permis aux salariés de bénéficier de temps libre sous forme d'allègement de l'horaire hebdomadaire ou de jours de congés supplémentaires. Les heures effectuées au-delà de la durée légale sont considérées comme des heures supplémentaires.

Le respect des durées maximales quotidiennes (qui comprennent les heures supplémentaires) est obligatoire. Elles sont fixées à dix heures par jour, soit 48 heures par semaine. La durée de travail ne peut atteindre six heures d'affilée sans une pause d'au moins 20 minutes.

Le code du travail prévoit un congé hebdomadaire de 24 heures obligatoire qui est généralement donné le dimanche. Plusieurs dérogations permettent d'organiser le travail ce jour-là pour les hôtels, les restaurants, les pharmacies, les hôpitaux, les entreprises de spectacles et les commerces d'alimentation de détail par exemple.

? Le saviez-vous ?

Le travail de nuit est interdit aux jeunes de moins de 18 ans.

Le nombre d'accidents du travail dans le secteur du BTP (bâtiment et travaux public) est en baisse constante.

■ Aucun employeur ne peut refuser d'embaucher quelqu'un, de le sanctionner ou de le licencier en raison de son sexe, de son origine, de ses mœurs ou de sa religion.

Une femme n'est pas obligée d'informer son futur employeur qu'elle attend un enfant, et un employeur ne peut pas refuser d'embaucher une femme enceinte.

Depuis 1892, l'inspection du travail est un important organe de contrôle chargé, au nom de l'État, de faire respecter le droit du travail et le droit conventionnel dans les entreprises.

■ Le contrat de travail

Tout salarié travaillant dans le secteur privé doit avoir un contrat précisant ses conditions de travail et son salaire. Il existe de nombreux types de contrats, et la loi est de plus en plus orientée vers une simplification.

Un CDD est un contrat à durée déterminée et un CDI un contrat à durée indéterminée. Dans le cas d'un CDI, une entreprise ne peut licencier un employé qu'en lui versant des indemnités de licenciement. Depuis août 2006, les entreprises de moins de 20 personnes ont la possibilité d'embaucher avec un contrat nouvelle embauche (CNE). Le CNE est équivalent à un contrat à durée indéterminée. Cependant, sa période d'essai s'étale sur deux ans alors que pour un CDI elle varie de un à six mois.

■ Les congés

En 1936, date des premiers congés payés, les salariés avaient deux semaines de vacances. Aujourd'hui, ils bénéficient de cinq semaines de congés payés et de dix jours fériés.

Tout salarié a droit à ces congés, quel que soit son poste, sa qualification, sa rémunération et ses horaires de travail, à condition d'avoir travaillé pendant au moins un mois chez le même employeur. Chaque salarié a droit à deux jours et demi de congés par mois de travail effectif.

Selon les régions et les saisons, le secteur de l'agriculture offre de nombreux emplois saisonniers.

Le boulanger est un commerçant artisan qui vend les produits qu'il fabrique.

Les retraites

L'augmentation de l'espérance de vie et la situation économique ont conduit le gouvernement à engager une réforme du régime des retraites en 2004. Jusqu'en 2008 toute personne âgée de 60 ans et ayant travaillé 40 ans pouvait percevoir une retraite à taux plein. Depuis 2008, la durée du temps de travail nécessaire s'allonge progressivement et atteindra 41 ans en 2012. Il est possible de s'arrêter avant 60 ans ou de continuer au-delà, la limite d'âge maximum étant de 65 ans.

Les salaires

La somme que reçoit le salarié après prélèvements est le salaire net. Ces prélèvements, appelés cotisations sociales, sont répartis entre l'employeur et le salarié et sont la base du système de solidarité nationale. En effet, ces retenues sont redistribuées dans le système de solidarité comprenant essentiellement l'épargne retraite, l'assurance chômage et l'assurance maladie.

En 2007, le salaire moyen était légèrement inférieur à 2 000 € net par mois, et la rémunération mensuelle d'un homme était en moyenne supérieure de 23 % à celle d'une femme (excepté dans la fonction publique ou les hommes et les femmes perçoivent les mêmes salaires).

■ Le Smic

Le Smic (Salaire Minimum Interprofessionnel de Croissance) a été institué en 1950. Aujourd'hui le Smic est réévalué chaque année en fonction de l'augmentation du coût de la vie. En 2008, on estime à plus de trois millions le nombre de smicards (salariés payés au Smic). Au 1er juillet 2007, le Smic était de 8,44 € brut (avant les prélèvements) de l'heure.

+ Pour en savoir plus

■ Quatre smicards sur dix sont employés à temps partiel, et 80 % d'entre eux sont des femmes.

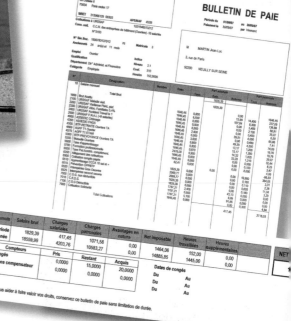

Le bulletin de paie indique à la fois le salaire brut et le salaire net (somme restante une fois que les différentes charges ont été soustraites).

? Le saviez-vous ?

Le mot salaire vient du latin *sal* qui signifie « sel ». En effet, autrefois on payait les soldats en leur donnant une ration de sel.

■ Le RMI

Le RMI (revenu minimum d'insertion) est une allocation versée aux personnes en âge de travailler, sans ressources ou ayant des ressources inférieures à un plafond fixé par décret. L'allocataire du RMI est appelé érémiste dans le langage populaire. Au premier janvier 2007, une personne seule touchait 440,86 € net par mois. Le montant du RMI était de 661,29 € pour un couple sans enfant et une personne seule avec un enfant, de 793,55 € pour un couple avec un enfant et une personne seule avec deux enfants, et de 925,80 € pour un couple avec deux enfants. Pour chaque nouvel enfant, l'allocataire perçoit 176,34 € en plus.

+ Pour en savoir plus

■ Les militaires touchent des soldes, les médecins, les avocats, les notaires perçoivent des honoraires, les fonctionnaires des traitements, les artistes touchent des cachets alors que les écrivains et les auteurs reçoivent des droits d'auteur. Tous reçoivent une rémunération pour un travail ou un service rendu.

■ Le RSA

Le RSA (revenu de solidarité active), actuellement expérimenté par 25 départements pilotes pour une durée de trois ans, est un dispositif qui permet aux allocataires du RMI de reprendre une activité professionnelle sans perte de revenu. Le montant du RSA est variable, il s'agit d'une compensation entre le salaire perçu et le montant du RMI. Il devrait être généralisé à la fin de l'année 2008.

Le chômage

Environ 10 % de la population active était au chômage en 2007. Le chômage touche particulièrement les jeunes de moins de 30 ans, la recherche d'un premier emploi restant de loin la plus difficile. Le taux de chômage des handicapés est très élevé (près de 20 %) alors qu'une loi de 1987 prévoit que les handicapés doivent représenter 6 % des effectifs des entreprises de plus de 20 salariés. Les demandeurs d'emploi sont inscrits à l'ANPE (Agence nationale pour l'emploi) et perçoivent des indemnités de chômage. La durée et le montant de l'indemnisation dépendent de nombreux éléments comme l'âge de la personne et le temps pendant lequel elle a travaillé auparavant.

anpe

Les syndicats

La majorité des mouvements de grève sont déclenchés par les syndicats. Les principaux motifs de grève sont les revendications salariales et la préservation de l'emploi.

La France est le pays du monde le moins syndiqué (à peine 8 % de la population active) alors que le taux de syndicalisation atteint 80 % en Europe du nord, 70 % en Italie et 30 % au Royaume-Uni. Une majorité de Français pense que les syndicats ont une approche trop idéologique des conflits.

La fonction publique

Au total la fonction publique emploie près de six millions de Français. Un salarié sur quatre dépend de l'État, d'une mairie, d'une région, d'un département ou d'un hôpital.

Les fonctionnaires sont recrutés par concours et bénéficient de la sécurité de l'emploi. Néanmoins, l'État est le premier créateur d'emplois précaires. En effet, un certain nombre de salariés (les plus récents) de la fonction publique ne bénéficient pas du statut de fonctionnaire. Ils ont des contrats renouvelables et des salaires inférieurs. Le ministère de l'Éducation nationale est celui qui emploie le plus de fonctionnaires (1,6 million).

+ Pour en savoir plus

■ Élus dans les entreprises de onze salariés et plus, les délégués du personnel représentent le personnel auprès de l'employeur et sont les interlocuteurs de l'inspecteur du travail.

Confédération française de l'encadrement – Confédération générale des cadres.

Confédération générale du travail.

? Le saviez-vous ?

☐ Ce n'est que depuis 1965 que les femmes n'ont plus besoin d'avoir le consentement de leur mari pour exercer une activité professionnelle.

ET MAINTENANT À VOUS...

Répondez par vrai ou par faux.

1. Les chômeurs travaillent à l'ANPE en attendant d'avoir un emploi.

2. Le Smic est un syndicat de fonctionnaires.

3. Les agriculteurs représentent environ 3 % de la population.

4. Sans l'accord de leur mari, les femmes ne peuvent pas travailler.

5. Le RMI est versé aux personnes âgées sans ressources.

6. L'esclavage a été aboli pendant la Révolution de 1789.

7. Un CDD est un contrat définitif.

8. Il est possible de travailler la nuit à partir de 18 ans.

Informations
Pratiques

La poste

Les bureaux de poste sont ouverts du lundi au samedi matin. L'affranchissement d'une lettre de 20 grammes était en 2007 de 0,54 € pour la France et de 0,60 € pour la plupart des pays d'Europe. Il est aussi possible d'acheter des timbres dans les bureaux de tabac.
Un service bancaire est proposé par la banque postale.

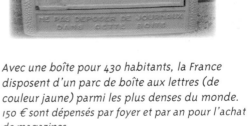

Hébergement

Le touriste a plusieurs possibilités d'hébergement selon le lieu et la durée de son séjour, ses goûts et son budget.
● Les hôtels sont classés en six catégories : de l'hôtel sans étoile à l'hôtel 4 étoiles luxe.
● Les chambres d'hôtes, plutôt situées à la campagne, permettent un contact direct avec les habitants. On peut y séjourner une ou plusieurs nuits.
● Les gîtes ruraux sont des hébergements que l'on peut louer pour un week-end, une ou plusieurs semaines.
● Les gîtes d'étape sont à la disposition des randonneurs qui souhaitent passer une nuit

Avec une boîte pour 430 habitants, la France disposent d'un parc de boîte aux lettres (de couleur jaune) parmi les plus denses du monde. 150 € sont dépensés par foyer et par an pour l'achat de magazines.

avant de repartir en balade. Ils sont peu chers et offrent un confort très inégal.
● Les auberges de jeunesse accueillent jeunes ou moins jeunes, à condition qu'ils aient une carte de membre de la FUAJ (Fédération Unie des Auberges de Jeunesse).
● Les refuges permettent aux randonneurs de faire une étape en montagne. Ils ne sont accessibles qu'à pied, et leur confort est généralement rudimentaire.

Le téléphone

Les cabines téléphoniques

Ces cabines sont à votre disposition dans les villes et dans chaque village. Elles fonctionnent le plus souvent avec une carte téléphonique prépayée que l'on peut acheter dans les bureaux de tabac, avec une carte bancaire ou plus rarement avec des pièces. France Télécom retire progressivement les cabines qui ne sont pas rentables, c'est-à-dire dont la durée d'utilisation est inférieure à cinq minutes par jour. Cependant chaque commune doit être équipée d'au moins une cabine.

Les numéros de téléphone

Les numéro de téléphone ont 10 chiffres. Les deux premiers chiffres (de 01 à 05) indiquent la région de votre correspondant :
01 : l'Ile-de-France, 02 : le Nord-Ouest ; 03 : le Nord-Est ; 04 : le Sud-Est ; 05 : le Sud-Ouest.
Les numéros de portables commencent par 06.

Les numéros verts

Ces numéros peuvent être appelés gratuitement, ils commencent par 0800, 0804 ou 0805.
En revanche, attention aux numéros qui commencent par 0891 et jusqu'à 0898 car ils sont surtaxés. Le coût de la communication est en général indiqué entre parenthèses et en très petits caractères !

Rechercher un numéro de téléphone

Vous pouvez consultez l'annuaire des Pages blanches pour trouver le numéro de téléphone et l'adresse d'un particulier ou l'annuaire des Pages jaunes pour les professionnels. Ces annuaires sont aussi consultables sur Internet.
Vous pouvez également appeler les renseignements téléphoniques aux numéros à 6 chiffres commençant par 118. Le 118 711 et le 118 810 sont gérés par France Télécom, mais tous ces services sont payants.

Appeler un correspondant à l'étranger de la France

Composez le 00 suivi de l'indicatif du pays, puis de l'indicatif de la ville ou de la zone, selon le pays.

Appeler un correspondant en France de l'étranger

L'indicatif de la France est le 33 suivi du numéro de la région mais sans le 0.

Les urgences

Les numéros d'urgence

- Le 18 : les pompiers pour un incendie, une inondation, un accident de la circulation avec blessés, un chat dans un arbre ou un nid de guêpes. Les pompiers se déplacent gratuitement.
- Le 17 : la police pour toutes les urgences ; elle se met en relation avec le service compétent.
- Le 112 : ce numéro d'urgence européen est valable dans tous les pays de l'Union européenne et il concerne toutes les urgences (médicales, incendies, police, etc.).

Ces numéros sont accessibles de tous les postes, même lorsque la ligne a été supprimée, même lorsqu'il n'y a pas de tonalité.

Alors que la police dépend du ministère de l'Intérieur, la gendarmerie appartient au ministère de la Défense nationale.

Police ou gendarmerie

En cas de vol ou d'une agression s'adresser :
- en ville, au commissariat de police,
- à la campagne, à la gendarmerie.

Le premier mercredi de chaque mois, à midi retentissent 4 500 sirènes d'alerte nationale. On s'assure ainsi de leur bon fonctionnement !

Les pompiers volontaires constituent 85 % des effectifs des sapeurs pompiers. Bien qu'ils soient parfois indemnisés, leur activité conserve un caractère bénévole.

Corrigés

Chapitre 1 : La France

1. Provence-Alpes-Côte-d'Azur, Basse-Normandie, Franche-Comté, Rhône-Alpes, Nord-Pas-de-Calais, Aquitaine, Alsace.
2. Lyon : le Rhône, Orléans : la Loire, Rouen : la Seine, Nantes : la Loire, Avignon : le Rhône, Bordeaux : la Garonne.
3. La frontière suisse.
4. Annecy : les Alpes, Clermont-Ferrand : le Massif central, Pau : les Pyrénées, Épinal : les Vosges, Albertville : les Alpes.
5. Grenoble, Lyon, Bordeaux, Toulouse, Marseille, Montpellier, Strasbourg.
6. Rhône-Alpes, La Bretagne, l'Alsace, la Lorraine, l'Auvergne, la Franche-Comté, la Bourgogne.
7. Tahiti, La Réunion, la Guadeloupe, la Martinique.
8. L'Espagne : les Espagnols, les Espagnoles, l'Italie : les Italiens, les Italiennes, la Suisse : les Suisses, les Suisses ou les Suissesses, L'Allemagne : les Allemands, les Allemandes, le Luxembourg : les Luxembourgeois, les Luxembourgeoises, la Belgique, les Belges.

Chapitre 2 : le calendrier

1. Faux - 2. Faux - 3. Faux - 4. Faux - 5. Faux - 6. Faux - 7. Faux - 8. Faux - 9. Faux - 10. Faux

1/h - 2/e - 3/g - 4/c - 5/b - 6/d - 7/a - 8/i

Chapitre 3 : la famille

1. Faux - 2. Faux - 3. Faux - 4. Faux - 5. Faux - 6. Vrai - 7. Vrai - 8. Faux - 9. Faux - 10.Faux

Chapitre 4 : la table

1.Faux - 2. Faux - 3. Vrai - 4. Faux - 5. Vrai - 6. Faux - 7. Faux - 8. Faux - 9. Faux - 10. Vrai

Chapitre 5 : la santé

1. Faux - 2. Faux - 3. Vrai - 4. Faux - 5. Vrai pour l'employé, faux pour l'employeur - 6. Faux - 7. Faux - 8. Faux -9. Vrai - 10. Vrai

Chapitre 6 : les loisirs

1. Vrai - 2. Faux - 3. Faux - 4. Faux - 5. Faux - 6. Faux - 7. Faux - 8. Faux - 9. Vrai avec l'Espagne - 10. Vrai

Chapitre 7 : les médias

1. Faux - 2. Faux - 3. Vrai - 4. Vrai - 5. Faux - 6. Faux - 7. Faux - 8. Faux - 9. Faux - 10. Faux.

Chapitre 8 : l'argent

1. Faux - 2. Faux - 3. Vrai - 4. Vrai - 5. Faux - 6. Vrai - 7. Faux - 8. Faux - 9. Faux - 10. Faux

Chapitre 9 : l'habitat

1. Faux - 2. Faux - 3. Faux - 4. Faux - 5. Vrai - 6. Faux - 7. Faux - 8. Vrai - 9. Vrai - 10. Vrai

Chapitre 10 : les déplacements

1. Faux - 2. Faux - 3. Vrai - 4. Faux - 5. Vrai - 6. Faux - 7. Faux - 8. Faux - 9. Faux - 10. Vrai

Chapitre 11 : l'école

1. Vrai - 2. Faux - 3. Vrai - 4. Vrai - 5. Faux - 6. Faux - 7. Vrai - 8. Vrai - 9. Faux -10. Faux - 11. Vrai - 12. Faux

Chapitre 12 : l'enseignement supérieur

1. Vrai - 2. Faux - 3. Vrai - 4. Vrai - 5. Vrai - 6. Vrai - 7. Vrai - 8. Vrai - 9. Faux - 10. Faux

Chapitre 13 : le travail

1. Faux - 2. Faux - 3. Vrai - 4. Faux - 5. Faux - 6. Faux - 7. Faux - 8. Vrai

Copyright

Table des matières